Louise Courteau
éditrice
JUDI POPE KOTEEN
LA DERNIÈRE VALSE DES TYRANS
LA PROPHÉTIE
RAMTHA
17,95$
Révélation cosmique
17,95$
Visions d'outre-vie
Roger Bouchard
12,95$
JAMES WANLESS, Ph.D
LE TAROT
VOYAGER
12,95$
Bon de commande
Titre du livre: ____________________
Louise Courteau éditrice inc., 7431, rue Saint-Denis,
Montréal, Québec H2R 2E5 – Tél.: 272-4712 ou 272-1160
Nom ____________________
Adresse ____________________
____________________ Code postal __________

Au cœur de la musique Nouvel Âge

Louise Courteau, éditrice inc.
7431, rue Saint-Denis
Montréal, Québec, Canada
H2R 2E5

Typographie : Tapal'œil
Photo page couverture : Jac Lapointe

Dépôt légal : deuxième trimestre 1991
Bibliothèque nationale du Québec
Bibliothèque nationale du Canada
Bibliothèque nationale de Paris
Library of Congress, Washington, D.C.

ISBN : 2-89239-136-9

GILLES BÉDARD

Au cœur de la musique Nouvel Âge

TABLE DES MATIÈRES

REMERCIEMENTS

À mes parents, pour m'avoir communiqué leur amour de la musique.

À Louise, ma compagne de toujours — qui a fait germer en moi, il y a trois ans, l'idée de cette série de livres — pour sa patience, son amour et sa foi dans mon « rêve » de la musique Nouvel Âge, depuis quinze ans et, surtout, sa présence quand j'ai « franchi le Rubicon ».

Aux Beatles, Moody Blues, Tangerine Dream, Vangelis, Harmonium, Constance Demby et Steve Roach, pour m'avoir, par leur musique, guidé dans ma quête du Son.

À Jacques Languirand, pour m'avoir tracé un de ses « 4 Chemins » !

À Louise Courteau, ma grande amie, pour sa foi en la musique et sa douce folie.

À tous ceux, trop nombreux pour les nommer, qui m'accompagnent dans cette quête du Son depuis quinze ans.

À tous les musiciens du Nouvel Âge pour qui, la musique, beaucoup plus que le discours philosophique, est une action concrète à l'avènement d'une nouvelle vision de notre monde.

Auditeurs, ce livre est pour vous !

PREMIÈRE PARTIE

LA QUÊTE DU SON

INTRODUCTION

LA QUÊTE DU SON !

Cette série de livres sur la musique du Nouvel Âge (MNA) est, d'une part, le prolongement de mon intérêt pour cette musique et ses compositeurs, et surtout, d'autre part, le plaisir de partager ma passion d'une musique qui sait faire vibrer tout mon être.

Ayant grandi dans un environnement musical, j'ai connu très jeune cette grande passion pour la musique, celle qui naît de l'inspiration.

D'abord, très jeune, je fus ébloui par la musique classique et surtout le chant choral et le chant grégorien. Sans vraiment comprendre l'émotion qui m'envahissait, cette musique appelait à moi des réalités qui me dépassaient mais que je savais exister au-delà de ma perception d'enfant.

Aujourd'hui, je reconnais à l'écoute de certaines musiques Nouvel Âge, le même état vibratoire dans lequel le chant grégorien me plongeait.

Dès cet âge (5 ans), ma vie, mes émotions allaient vibrer au son de la musique.

Plus tard, j'ai découvert la musique des Beatles. À travers elle, je ressentais des émotions différentes : puissance, joie, tristesse, amour.

Pour moi, l'événement marquant, demeure, en 1971, la découverte de la musique des Moody Blues, avec les albums *Every Good Boy Deserves Favour* et, plus particulièrement, *On The Threshold of a Dream*. Jamais une musique ne m'avait transporté aussi loin. Les arrangements musicaux des Moody Blues, inspirés de la musique classique et surtout l'utilisation du mélotron, aux sonorités semblables au synthétiseur, donnaient à leur musique, une dimension céleste. Avec cette musique, j'entrais réellement au seuil d'un rêve, d'un nouveau monde ! Non celui qu'on m'avait décrit mais celui que je me dessinais.

J'ai dû écouter ces disques des milliers de fois. Je cherchais à comprendre. Leurs musiques me semblaient contenir une clef. J'ai trouvé la réponse, en une intuition forte, une certitude profonde, sans pouvoir vraiment l'expliquer consciemment.

La musique des Moody Blues demeure celle qui m'a réellement ouvert au « Nouvel Âge » : celui qu'on trouve au fond de son cœur. Le Nouvel Âge c'est de s'ouvrir à soi ! C'était le début de ma quête du Son.

En 1974, suite à une grave maladie (maladie de Crohn) qui m'a fait vivre la mort, ce fut la révélation ! « Mysterious Semblance at the Strand of Nightmare » de l'album *Phaedra* de Tangerine Dream allait me faire pénétrer dans cette dimension céleste que j'avais ressentie en écoutant du grégorien et surtout cet état de grande béatitude que j'avais vécu lors de mon expérience de mort (NDE), (racontée lors de l'émission « C'est la vie » à Radio-Québec, le 4 mars 1990).

En 1976, la musique de Vangelis allait me transformer. Une force me poussait malgré moi à vouloir partager ces émotions.

Dès 1983, je faisais mes premières armes à la radio. Pendant six ans, j'ai animé « Musique du Nouvel Âge » (émission hebdomadaire sur les ondes de CIBL-FM, radio communautaire de l'est de Montréal). Les musiciens québécois Jean-Pierre Labrèche, Robert Haig Coxon, Daniel Blanchet, Daniel Berthiaume et Alex Farhoud allaient devenir des habitués de l'émission. La musique Nouvel Âge québécoise faisait ses débuts. Du coup, avec eux, je me retrouvais au cœur de la création, au cœur de la musique !

C'était aussi la découverte des musiques de Kitaro et Deuter maintenant appelées la MNA (Musique du Nouvel Âge). *Structures from Silence* de Steve Roach, *Novus Magnificat* de Constance Demby et *The Standing Stones of Callanish* de Jon Mark sont parmi les musiques qui allaient m'amener vers la Voie intérieure.

Depuis, je n'ai cessé de rechercher et de m'émerveiller à l'écoute de nouvelles musiques.

Au cœur de la musique Nouvel Âge ne se veut pas une anthologie de la MNA, bien qu'au fil des parutions, il deviendra un guide précieux.

Je sélectionnerai une centaine de disques que je commenterai pour vous. Je les appellerai « Les indispensables ». Ces albums seront choisis pour l'originalité de leur créativité, leurs qualités musicales et techniques. Ils pourront vous guider dans vos choix et vous aider à bien dépenser votre argent.

Vous constaterez que je ne suis aucunement touché ou concerné par l'aspect commercial entourant certains albums, certains musiciens ou certaines compagnies de disques qui se présentent comme les « nº 1 du New Age » ! Leur but est de vendre. Le mien, de parler musique Nouvel Âge. Dans certains cas, nos buts se rejoignent.

Dans la quatrième partie de ce livre, vous trouverez les disques commentés selon des thèmes précis, au gré de vos émotions particulières ou vos états d'âme. Certaines pièces musicales devront être apprivoisées. Comme le dit le Petit Prince, « apprivoiser, c'est créer des liens ». Créer des liens, c'est s'ouvrir à la Vie !

Dans ce premier tome, je consacre un dossier à la MNA québécoise. Vous y trouverez un historique, une discographie — gracieuseté de l'Association Musique Nouvel Âge Québec (AMNAQ) — et, enfin, je vous présente une chronique spéciale sur les indispensables de la MNA du Québec.

Depuis dix ans, je me suis fait de nombreux ami(e)s au sein de l'industrie de la MNA, tant aux États-Unis qu'à travers l'Europe. J'inviterai certains d'entre eux à nous faire partager leurs expériences.

Dans ce même esprit, j'ai invité Jacques Languirand et Lee Underwood.

Jacques Languirand est le pionnier de la MNA au Canada. « Par 4 Chemins » (CBF 690 - Radio-Canada) — qui célèbrera ses 20 ans le 1er septembre 1991 —, est l'émission au cours de laquelle la musique Nouvel Âge s'est manifestée. On appelait à l'époque, avec un certain sourire, musique cosmique ou « planante ».

Il fut aussi celui qui permit la présentation de KHÂLL, premier spectacle de MNA québécoise, le 5 mai 1988 au Spectrum de Montréal. La MNA québécoise lui doit beaucoup.

Suivons maintenant Jacques Languirand dans son raisonnement.

Photo: Paul Casavant

DE LA MUSIQUE DU NOUVEL ÂGE

par Jacques Languirand

J'ai été très marqué dans ma jeunesse par l'œuvre d'un personnage étonnant : Antonin Artaud, visionnaire, anthropologue, poète, homme de théâtre complet, véritable prophète de notre époque qui, en son temps, a passé pour fou. Artaud est l'auteur d'un ouvrage qui a profondément influencé toute une génération d'artistes, d'écrivains, de créateurs : *Le Théâtre et son double* dans lequel il affirmait que l'Occident était parvenu à une véritable crise au plan de la créativité et qu'il fallait inventer le langage d'une ère nouvelle. À propos de la musique en particulier, il a écrit :

> [...] la nécessité d'agir directement et profondément sur la sensibilité par les organes, invite, du point de vue sonore, à rechercher des qualités et des vibrations de son absolument inaccoutumées, qualités que les instruments de musique actuels ne possèdent pas, et qui poussent à remettre en usage des instruments anciens et oubliés, ou à créer des instruments nouveaux.

Depuis, nous avons assisté à la concrétisation de la vision surprenante d'Artaud, et ce, sur trois plans : d'abord, le rapprochement de l'Orient et de l'Occident. Artaud était en particulier très attaché à la musique de Bali. Or, avec la musique minimale, l'influence de la musique de Bali a commencé à se faire sentir en Occident. Et non seulement de Bali mais de la culture orientale en général. C'est en fait à un rapprochement de l'Orient et de l'Occident auquel nous avons assisté depuis un quart de siècle. C'est ainsi qu'à un moment, les Beatles ont, pour la première fois à ma connaissance, intégré à une forme musicale occidentale le son d'une cithare indienne. Quelques années plus tard, c'est Colin Wallcott qui, à son tour, introduisait cet instrument dans la musique de jazz.

Pour ce qui est des instruments anciens, les exemples de leur redécouverte ne manquent pas : ce fut, par exemple, celle de la harpe celtique par Alan Stivell, qui a fait un retour inattendu dans la culture d'aujourd'hui. Et, avec les instruments, certaines formes musicales, anciennes ou exotiques, ont aussi été intégrées : les modes musicaux et les rythmes du monde entier ont contribué au renouvellement de la musique occidentale. Nous sommes de toute évidence à une époque d'hybridation des styles, des courants, des langages. Ce phénomène a pu être observé dans la musique pop qui a vu l'hybridation du « Blues » des Noirs et du « Country Music » des Blancs donner naissance au Rock. Mais avec la musique du Nouvel Âge, le phénomène est devenu planétaire : il n'y a pas de doute, en effet, que toutes les expériences d'hybridation auxquelles nous assistons correspondent à la naissance de la conscience planétaire. La musique occidentale, et plus particulièrement la musique du Nouvel Âge dont une des caractéristiques est d'être à la fois régionale et planétaire, s'est donc pour ainsi dire réapproprié le patrimoine de la planète, remplissant ainsi une des fonctions de l'art qui est d'annoncer les transformations de la vision collective.

Enfin, Artaud avait aussi parlé d'instruments nouveaux...Ces instruments, ils existent : ce sont les synthétiseurs et tous les outils fabuleux que les créateurs ont aujourd'hui à leur disposition, non seulement pour faire entendre les « sons inouïs » dont il parlait, mais aussi pour créer des formes musicales nouvelles qui se rattachent désormais à la grande tradition orale et non plus à celle de la musique écrite. Cette nouvelle technologie, qui participe de la magie de l'électricité, de l'instantanéité et de la simultanéité, accouche d'un nouveau langage.

La musique du Nouvel Âge témoigne en particulier de la qualité de l'interaction qui existe déjà, et qui doit s'imposer de plus en plus, entre l'homme et la machine. La machine, ici, n'est pas un facteur d'asservissement mais de libération, un facteur de créativité.

On dit souvent du mal de notre époque — qui est parfois difficile à vivre, il faut en convenir. Mais, par ailleurs, il n'y a jamais eu selon moi d'époque plus riche au plan de la créativité que celle que nous vivons. C'est même sans contredit, et je veux l'affirmer, l'époque la plus créative de toute l'histoire de l'humanité. Et c'est dans le courant de cette créativité débordante que se définit la musique du Nouvel Âge.

Je voudrais dire pour terminer que le Nouvel Âge, c'est avant tout un cheminement, avec ses raccourcis mais aussi ses détours. J'ai le sentiment qu'après la transition de la fin des années '60 et du début des années '70, à la grande époque de la contre-culture qui appelait la naissance d'un nouvel âge, le balancier est allé pendant plus d'une décennie dans le sens contraire, c'est-à-dire qu'on est revenu à des valeurs matérialistes, donnant même à un moment l'impression que les gains réalisés par la contre-culture au plan de la conscience collective se trouvaient pour ainsi dire annulés ; mais il me semble aujourd'hui que le balancier revient vers les valeurs de la contre-culture mais dans un esprit différent : il s'agit moins de contester à la manière des adolescents mais de construire en prenant appui sur une plus grande maturité. On est maintenant plus conscient que le Nouvel Âge, ce n'est pas un but comme tel, pour la raison qu'il va reculer au fur et à mesure qu'on va s'en approcher, mais plutôt un mouvement vers.

Place à la musique...

* * *

Lee Underwood est un critique musical américain de réputation internationale. Critique de jazz et musicien, il fut le premier à vraiment comprendre et exprimer l'essentiel de la MNA.

J'ai rencontré Lee pour la première fois à Los Angeles en 1988, lors de la conférence de presse annonçant la première rencontre internationale de MNA. J'y participais à titre de représentant du Canada. Nous nous sommes liés d'amitié et partageons ce même respect pour la musique inspirée et ses compositeurs. Le texte qu'il nous présente est tiré de la revue *Body, Mind and Spirit* du numéro de novembre/ décembre 1989.

Photo: Sonia Crespi

FENÊTRES OUVERTES

par Lee Underwood

À la découverte de soi par l'expérience de l'écoute

J'ai enfin appris à m'amuser avec la musique. Mais il n'en fut pas ainsi du jour au lendemain, cela prit plusieurs années. Je repoussais presque tous les types de musiques disponibles pour écouter uniquement celle qui correspondait à mes émotions et les renforçait.

Un jour, je découvris une autre approche à l'écoute musicale. Cette approche aiguisait mes oreilles, élargissait mon champ de conscience et devint un élément déclencheur qui transforma ma vie.

Quand je me suis aventuré au delà des conventions musicales divertissantes, ce fut ma plus gande joie à la fois comme guitariste et critique musical : j'ai découvert non seulement la musique mais aussi la relation profonde qui existe entre elle et nos vies intimes. Le lien me semblait alors évident, mais, en fait, il ne l'est pas pour tous.

Contrairement à l'opinion populaire, tous les types de musique, de la plus violente et confuse à la plus intelligente et éthérée, ont leur beauté, leur pouvoir et leur but dans l'ordre des choses. Chaque type de musique émerge d'une émotion particulière, d'une vibration psychologique et/ou spirituelle issues du musicien et rejoint et éveille cette même émotion chez l'auditeur réceptif. Les qualités diffèrent selon les musiques mais elles éveillent toujours en nous différents paliers de réalité psycho-spirituelle.

Une écoute réceptive implique l'habilité de résonner personnellement à ce qu'on entend. C'est peut-être la technique créatrice la plus fondamentale. C'est par une écoute attentive que nous développons nos capacités à créer la plus haute forme d'art qui soit, c'est-à-dire nous-même.

Pour le véritable auditeur réceptif, la musique dans son tout représente plus qu'une évasion esthétique ou une diversion sublime. Elle peut être un guide puissant et un catalyseur potentiel de transformation personnelle profonde. Peu importe où nous en sommes dans notre développement psycho-spirituel, nous pouvons voyager — en musique — dans de nouvelles sphères et explorer des régions intérieures.

Ces horizons ont une valeur inestimable dans le processus de la découverte de soi. Des connections neuves s'érigent et nous vibrons à un « moi » insoupçonné. Nous approfondissons nos rêves, parfaisons nos choix, développons nos possibilités. De ce fait, nous nous donnons la possibilité d'élargir nos horizons, de grandir et d'évoluer.

La plupart d'entre nous ignorons ce fait. Nous demeurons des « musical box-thinkers ». En fait, nous écoutons des musiques qui véhiculent nos émotions familières et renforcent nos vibrations psycho-émotionelles. Nous restons sur du terrain connu.

Nous rejetons par le fait même les autres types de musiques, non pas qu'ils soient « mauvais » — rien n'est vraiment mauvais — mais par peur de ressentir d'autres émotions et d'explorer des états d'âme non familiers. Nous chérissons notre ignorance, recherchant des miroirs plutôt que des « portes ».

Mais quelle joie quand nous ouvrons notre âme et libérons nos oreilles ! Quand nous découvrons la musique dans son ensemble, que ce soit du western, rock, jazz, country, classique à la musique Nouvel Âge et quand nous entendons battre le cœur des musiques du monde.

Alors vient la joie de l'exploration, l'exaltation d'expérimenter de nouvelles dimensions, le plaisir de découvrir, grâce aux pouvoirs animés de la musique, la profondeur et la grandeur de ce qui anime l'être humain.

En vérité, par la musique, nous pouvons ouvrir toutes les portes intérieures. Des donjons les plus sombres de notre être, nous pouvons accéder à la réalité somptueuse d'une sérénité et d'une lumière spirituelle sublime.

La beauté n'est pas seulement dans l'œil de celui qui regarde. Elle existe déjà, depuis jamais, depuis toujours, n'attendant que nous nous élevions jusqu'à la percevoir et se l'approprier. Le point le plus important n'est peut-être pas le son mais plutôt la manière de l'écouter.

En suspendant temporairement notre jugement, en devenant intérieurement réceptif et transparent et en permettant à la musique de nous pénétrer sans entrave, nous pouvons courageusement avancer plus profondément dans ce voyage évolutionnaire. Éventuellement, à la lumière de révélations musicales, nous pourrons sortir de l'ombre nos multiples êtres intérieurs et apprendre à les imposer comme un tout.

Ainsi commencerons-nous à découvrir et à créer notre voie intime, à visualiser notre unicité, à entonner notre propre chanson venue de l'immortalité.

« Cherche la musique au fond de toi » dis-je constamment. « Trouve-la et suis-la. Laisse-la être ton guide. Elle saura toujours bien te diriger ». Dans mon cas, elle l'a fait. Je me sens aujourd'hui rempli de complaisance et de bienêtre.

Je vous souhaite autant de joies que j'en éprouve. Laissez entrer la musique en vous, elle saura toujours vous mener là où fleurit le jardin.

* * *

J'attends donc avec impatience de partager vos expériences avec ces musiques du Nouvel Âge. Il me fera plaisir de recevoir vos commentaires et suggestions et de répondre à vos questions.

Je vous souhaite une bonne lecture et surtout une merveilleuse Quête du Son.

En espérant vous retrouver...

au Cœur de la Musique...

DÉFINITION ET TYPES DE MUSIQUE NOUVEL ÂGE

Il est difficile de définir clairement ce qu'est la véritable MNA. Devant le manque évident de paramètres précis et de critères de qualité, ce genre musical est partagé, à bien des égards, entre l'« inspiré » et l'insipide. Le discours philosophique a pris le dessus sur la qualité musicale. En regardant agir certains musiciens du haut de leur prétention, on pourrait facilement imaginer un film : « Vol au-dessus d'un nid de Gourous » !

Devant cette situation, vous comprendrez ma réticence à vous donner une définition de la MNA. Définir un mouvement qui, bien qu'il existe depuis près de vingt-cinq ans, est encore à se créer et surtout à se transformer, me paraît paradoxal.

Bien sûr, il existe une définition, ou plutôt plusieurs de ce qu'est la MNA. Elles sont, en général, créées par les compagnies de disques et les distributeurs, selon les produits qu'ils proposent ! À cinquante-trois compagnies, cinquante-trois définitions !

Commercialement et surtout économiquement parlant — l'industrie de la MNA est quand même une affaire de gros sous dans les réseaux alternatifs — personne n'est réellement intéressé à établir une définition claire et précise, pour la simple et bonne raison que dans la confusion, on peut se permettre de vendre à peu près n'importe quoi. Et c'est ce qu'on fait !

L'insuccès des multinationales du disque américain à percer le marché de la MNA et leur nouvelle direction vers la « world beat » aura probablement un certain impact sur la publicité entourant la MNA. En bout de ligne, la musique sera gagnante.

Leur difficulté à s'approprier ce créneau musical était prévisible. Leur approche était tout à fait superficielle. On a emprunté à la MNA l'élément spirituel pour en faire un discours philosophique. Musicalement, on a pris les éléments extérieurs de la MNA classique, soit l'utilisation de synthétiseurs et le côté « planant » pour les rajouter à une musique pop, ou même « musak », la plupart du temps inodore. Sans compter les rééditions de vieux albums de musique instrumentale ou de jazz-fusion qui ne se vendaient plus !

En fait, c'est comme si acheter la même marque de patins que Wayne Gretsky faisait de n'importe qui un super joueur de hockey !

C'est la raison pour laquelle, plutôt que de vous proposer « la » définition, je vous présente des exemples de pièces que les spécialistes considèrent comme de la MNA. Il vous sera alors plus facile de juger par vous-mêmes et de créer votre propre définition.

Voici donc quelques pièces reconnues comme de la MNA par ses artisans :

Richard Burmer, « Across the View », (*Western Spaces,* 1ère version)
Constance Demby, « Novus Magnificat », (*Novus Magnificat*)

Jon Mark, « The Eye of the Hawk », (*The Standing Stones of Callanish*)
Steve Roach, « Structures from Silence », (*Structures from Silence*)
Raôul Duguay et Michel Robidoux, « Zéphyr » (*Nova*)
John Serrie, « Winter's Chappel », (*Tingri*)
Brian Eno, « 1/1 », (*Music for Airport / Ambient 1*)
Patrick O'Hearn, « Amazon Waltz », (*Eldorado*)
Vangelis, « Theme from Antartica », (*Antartica*)
Robert Haig Coxon, « Cristal Dreams », (*The Inner Voyage / Cristal Silence III*)
Robert Rich, « Mbira », (*Rainforest*)
Singh Kaur et Kim Robertson, « Ardas », (*Crimson vol. 6*)
Daniel Blanchet, « Les Monts Houang Chang », (*L'Harmonie des Mondes*)
Alex Farhoud, « Everything is Burning », ($(A + M)^2$)
Daniel Berthiaume, « L'Orée des Bois », (*L'Arbre de Vie*)
Tangerine Dream, « Rubycon part. 1 », (*Rubycon*)

La liste pourrait s'allonger. C'est pourquoi je vous réfère à la chronique Les indispensables. J'aurai l'occasion d'y revenir à la suite de vos commentaires et de ceux des musiciens.

Voyons maintenant les types de MNA.

On peut différencier deux types principaux de MNA. D'un côté, la musique Nouvel Âge et, de l'autre, ce qu'on appelle la musique de relaxation et de détente (il est des cas où parler de « musique » est gênant !). C'est ce que j'appellerai les « cassettes new age ».

Dans cette catégorie, les producteurs sont plutôt des distributeurs qui, souvent, ne connaissent rien à la musique et commandent à des musiciens (?) des copies carbone de ce qui se vend bien: Vangelis, Vollenweider, Kitaro, etc. Certains distributeurs semblent se spécialiser dans ce genre de truc. C'est le type de «K7» que vous trouvez surtout dans «toutes les bonnes pharmacies»!

Nous nous concentrerons plutôt sur la musique.

On peut identifier trois tendances dans la MNA, soit:

1. La MNA dite classique

C'est ce qu'on a appelé aux États-Unis, la *Spacemusic*. La musique est le message, le véhicule. Elle est plutôt novatrice, axée sur la recherche des éléments musicaux de différentes cultures et tirant son origine du mouvement de musique cosmique amorcé au début des années 70 par Tangerine Dream, Klaus Schulze, Ash Ra Tempel, en Allemagne mais aussi, Brian Eno, Vangelis, Tomita et Kitaro, en Angleterre et au Japon.

À l'origine, ces compositeurs cherchaient à briser les barrières du rock conventionnel. Ils étaient influencés par Pink Floyd, Stockhausen et... les Beatles. C'était le temps des expériences de conscience altérée (par les drogues hallucinogènes) et l'apparition des premiers synthétiseurs qui permettaient d'expérimenter avec de nouvelles sonorités.

Aux États-Unis, Steve Roach, Kevin Braheny et Michael Stearns continuent la démarche musicale entreprise par Klaus Schulze et Tangerine Dream. On retrouve aussi une certaine influence des musiques minimalistes de Terry Riley, Phillip Glass, La Monte Young et Steve Reich.

Parmi ces grands noms, les plus connus sont Steve Roach, Constance Demby, Jon Mark, Robert Rich, Jonn Serrie, Richard Burmer et le duo Danna & Clément.

Au Québec, ils ont pour nom Daniel Blanchet, Robert Haig Coxon, Raôul Duguay et Michel Robidoux, Alex Farhoud, François Kiraly et Charles Crevier, Jean-Pierre Labrèche et Pascal Languirand. En fait, la grande majorité des musiciens NA québécois se classe dans cette catégorie.

2. La MNA à caractère philosophique

Cette dimension de la MNA a pris naissance en Californie à la suite de l'apparition des nouvelles philosophies orientales, à peu près à la même époque où se développait le mouvement de musique cosmique en Allemagne. Il faut aussi mentionner l'impact du livre de Marilyn Ferguson, *Les Enfants du Verseau* qui fut une des premières à identifier l'émergence du courant nouvel âge aux États-Unis.

À travers leur musique, ces musiciens partagent leur nouvelle perception de l'Univers, de la vie. Dans certains cas, le discours philosophique semble primer sur le contenu musical.

Paul Horn, Tony Scott, Steven Halpern, Iasos, Deuter, Singh Kaur et Kim Robertson, Aeoliah sont parmi les pionniers de cette dimension spirituelle de la MNA.

Au Québec, le plus connu est Patrick Bernhardt.

3. La MNA pop

Son apparition est relativement nouvelle et coïncide avec la prise de conscience de l'industrie du disque face au mouvement croissant d'une nouvelle spiritualité chez les gens, ou plutôt, chez les « acheteurs potentiels ».

Proche des formules musicales pop établies par l'industrie du disque, elle demeure néanmoins innovatrice, en autant que les compagnies de disques le permettent ! Ce sont, entre autres, Patrick O'Hearn, Suzanne Ciani, Andreas Vollenweider, Colin Chin, Ray Linch et David Arkenstone.

Avec la commercialisation de ce genre musical, on a donc vu apparaître toutes sortes de soi-disant musiques nouvel âge. Il m'apparaît important de souligner l'exploitation éhontée qu'on a fait de la musique Nouvel Âge. C'est suite à cette commercialisation que la crédibilité de la MNA en a pris pour son rhume !

4. La MNA « instrumentale »

Ici le terme MNA est plutôt un prétexte pour la vente. Techniquement bien faite, elle demeure à la MNA ce que « New Kids on the Block » est à la musique classique !

La musique de cette catégorie demeure quand même agréable à écouter. Elle est facilement reconnaissable : la compagnie de disque a le même style de présentation pour tous ses produits et si vous ne faites pas attention, vous risquez d'acheter le même disque deux fois. Si vous cherchez l'innovation et la surprise, passez à *Go* et donnez 200$!

Malheureusement, près de 75 % de la MNA disponible chez les disquaires se situe dans cette catégorie. C'est aussi dans cette catégorie que la grande majorité des stations FM puise leur MNA.

5. La MNA « mystico-éso-pétée »

Dans cette catégorie, l'innovation (!) se situe dans le langage qu'utilise le musicien ou plutôt, la compagnie de disques pour nous faire acheter un produit dont le message semble être fait pour rivaliser avec les meilleurs prophètes de la Bible.

Voici un exemple parmi ces « recettes magiques », où on vous affirme par exemple, qu'après cinquante minutes de répétition de mantras chantés ou autres trucs new age du genre, vous obtiendrez le salut éternel ou encore, atteindrez le même extase que celui qui, disons, a mis vingt-cinq ans à maîtriser le ZaZen.

Reconnaissons que certains de ces musiciens partent d'une bonne intention. Ils devraient d'ailleurs en rester là...

Vous constaterez, de plus, que la qualité musicale de ces « cassettes new age » est inversement proportionnelle à la grandeur spirituelle de leur message. À les entendre, on a souvent l'impression que Bouddha aurait l'air de Ti-Coune à côté d'eux ! Ce sont les « Jim Baker » de la musique New Age.

AU CŒUR DE LA MUSIQUE

Découvrons la musique nouvel âge (MNA), de façon intimiste, à travers ses compositeurs, leur vision du monde, leur quête du Son. Leurs commentaires nous permettront de mieux saisir l'essence même de leurs créations. Quelle est l'intention de Constance Demby derrière *Novus Magnificat*? Que représente *Structures from Silence* de Steve Roach? Ou encore, comment mieux vivre la magie de musiques telles que *And the Stars go with You* de Jonn Serrie, *The Standing Stones of Callanish* de Jon Mark ou encore *Ardas* de Singh Kaur et Kim Robertson?

Depuis 1986, la MNA créée au Québec connaît un essor remarquable. *L'Arbre de Vie* de Daniel Berthiaume, *L'Harmonie des Mondes* de Daniel Blanchet, *The Inner Voyage (Cristal Silence III)* de Robert Haig Coxon, *Nova* de Raôul Duguay et Michel Robidoux, *Yi-King III* de Jean-Pierre Labrèche, sont parmi les œuvres qui témoignent non seulement d'une musique d'une qualité exceptionnelle mais surtout d'une sincère recherche intérieure de la Vérité, de leur vérité. Nous partagerons avec eux cette quête de l'Absolu.

Nous verrons comment certains albums peuvent devenir les clefs d'une nouvelle perception de soi et des visions profondes d'expériences intimes. La musique peut s'avérer l'ultime outil de transformation. Le son peut affecter notre environnement et cependant ses pouvoirs thérapeutiques sont indiscutables.

Pour mieux saisir l'ampleur de la transformation intérieure que propose la MNA, nous vous laissons sur un bref historique de son origine.

Le style musical nouvel âge est né en Allemagne, au début des années 70, autour des musiques de Tangerine Dream, Klaus Schulze et Ash Ra Tempel. Inspirés à la fois des expériences de Pink Floyd, Stockhausen et des... Beatles sur les sons, leur désir était de briser les barrières conventionnelles de la musique rock. Plus tard, Vangelis, Brian Eno, Tomita et Kitaro viendront s'ajouter à ces précurseurs.

Bien que ce mouvement soit né autour des années 20, l'expression «nouvel âge» a été accolée à cette musique vers le milieu des années 70. Aux États-Unis, Tony Scott, Paul Horn, Steven Halpern, Iasos et Deuter sont parmi les premiers à introduire dans leur musique une vision holistique basée sur une recherche personnelle, inspirée des philosophies orientales.

Parallèlement, mais de façon plus pragmatique, Steve Roach, Kevin Braheny et Michael Stearns étaient parmi ceux qui poussaient plus avant les explorations musicales entreprises par T.D. et Schulze.

Par la suite, la récupération commerciale du phénomène MNA par les multinationales de l'industrie du disque diluera de beaucoup l'essence même des recherches de ces précurseurs. Cette situation ne fera que retarder l'émergence inévitable d'une nouvelle perception de la musique face à l'individu et de son besoin de contact avec ses émotions nouvelles.

DEUXIÈME PARTIE

LA MUSIQUE NOUVEL ÂGE AU QUÉBEC

HISTORIQUE DE LA MNA QUÉBÉCOISE

Le Québec est le pionnier de la musique Nouvel Âge au Canada. Déjà, en septembre 1971, Jacques Languirand proposait aux auditeurs de son émission « Par 4 Chemins » (CBF AM) les musiques de Klaus Schulze, Tangerine Dream, Vangelis, Ash Ra Tempel, Neuronium et compagnie. Languirand fut l'un des premiers en Amérique à faire découvrir ce qu'on appelait, à l'époque, la musique électronique, « planante » ou cosmique.

LA NAISSANCE

Vincent Dionne et Michel Georges Brégent, avec « ... *et le troisième jour* » (1975), et Pascal Languirand, avec *Minos* (1978) sont les véritables pionniers de la MNA. D'influence contemporaine européenne, la musique de Dionne-Brégent connaîtra un succès commercial au Québec.

Pascal Languirand présente une musique influencée par le grégorien, le soufisme et par ce qu'on appelait à l'époque, l'école allemande de musique électronique (Tangerine Dream, Klaus Schulze et Ash Ra Tempel, entre autres). Sa musique connaîtra un succès remarquable, non seulement au Canada et aux États-Unis mais aussi en Angleterre, en Allemagne, en

Espagne et même en Yougoslavie ! En plusieurs endroits, ses albums sont encore recherchés par les collectionneurs.

L'émission « Musique du Nouvel Âge », que j'animais sur les ondes de CIBL-FM, la radio communautaire de l'est de Montréal, de janvier 1983 à juin 1988, sera parmi les premières émissions, au Québec, à être consacrée exclusivement à la MNA, tout en accordant une place primordiale aux compositeurs de chez nous. Jean-Pierre Labrèche, Robert Haig Coxon, Alex Farhoud, Daniel Berthiaume, Daniel Blanchet et le trio Jean-François Crevier, François Kiraly et Charles Crevier deviendront des habitués de l'émission. Les auditeurs découvriront une MNA bien de chez nous.

Le véritable mouvement de MNA québécoise s'amorcera en 1983 avec *Yi-King I* de Jean-Pierre Labrèche. Le succès que connaît cet album depuis sa création est remarquable. Plus de 50 000 copies vendues dans le réseau restreint des librairies ésotériques et des magasins d'aliments naturels. Malgré le peu de crédibilité que les médias accordent à cette musique, l'intérêt du public va grandissant. En mai 1984, Jean-Pierre Labrèche et Robert Chacra fondent « Musique Alternative Chacra » et se donnent pour mission de distribuer cette musique au Canada. Chacra deviendra le premier distributeur MNA au Canada.

En mai 1986, Robert Haig Coxon produit *Cristal Silence I* qui connaîtra un succès phénoménal. C'est sans aucun doute la seule cassette de MNA qui s'affiche comme l'ultime outil de relaxation et... qui l'est vraiment, et ce, encore aujourd'hui ! La démarche de Coxon repose sur une connaissance et une expérimentation scientifiques. Sa musique, par contre, est intuitive et se caractérise par un sens lyrique marqué. *Yi-King I* et *Cristal Silence I* sont désormais considérés comme les grands classiques de la MNA québécoise.

À la même époque (1985), Alex Farhoud produit *Nosso Nosso,* dont les arrangements et l'interprétation sont faits par Vincent Dionne, Jean Corriveau et Neil Smolar. Malheureusement, à cause d'une promotion inadéquate, cette œuvre impressionnante et de grande qualité ne pourra rejoindre un large public.

En 1986, l'ANAQ (Association Nouvel Âge Québec) voit le jour dans le but d'informer les gens et de faire la promotion de la MNA. Gravitant autour d'elle, Daniel Berthiaume (*I Deal with Silence*), Daniel Blanchet (*Le Chemin de l'Ermite*), François Paré (*Vie Multicolore*), et le trio François Kiraly, Charles Crevier et Jean-François Crevier (*Music from the Sky*) seront les premiers à nous faire découvrir une MNA bien de chez nous. *Melodies on Canvas* de Horrocks/Harrington et *Pools of Light* de Mendieta/Harris s'ajouteront, par la suite, à cette production québécoise.

À cette époque, plusieurs musiciens produiront, avec moins de succès et surtout moins de rigueur musicale et de professionnalisme, des « cassettes » de MNA. La plupart se rendront compte que le fait de posséder un synthétiseur ne métamorphose pas un amateur en « nouveau Tangerine Dream » ou en « Vangelis » !

Les librairies ésotériques du Québec ont été longtemps le seul réseau de diffusion de la MNA. Nous devons les remercier de leur support constant.

KHÂLL OU L'OUVERTURE SUR LE MONDE

Le 5 mai 1988, *Khâll,* le premier spectacle de MNA au Québec, est présenté au Spectrum de Montréal, devant une salle comble. Ce spectacle organisé par les Productions Rubicon en collaboration avec la Société Radio-Canada et l'émission « Par 4 chemins » de Jacques Languirand et l'ANAQ, connaît un énorme succès malgré le peu de promotion accordée à l'événement par les médias.

Animé par Raôul Duguay qui participe aussi au spectacle, le concert réunissait sur une même scène, Daniel Berthiaume, Daniel Blanchet, François Paré, Jean-Pierre Labrèche, Alex Farhoud, Robert Haig Coxon et Michel Robidoux. Pour la première fois, la MNA québécoise était présentée « en direct » au grand public.

Khâll restera une étape importante de l'histoire de la MNA au Québec. À la télé de Radio-Canada (*Montréal ce soir,* le 6 mai 1988), on en parle comme d'un événement historique. Le spectacle sera retransmis, à travers le Canada, sur les ondes de CBF 690 dans le cadre de l'émission « Par 4 Chemins ».

Par la suite, *Destinations* de Vincent Dionne, $(A + M)^2$, le second disque d'Alex Farhoud et *Pendulum* de Jean Robitaille, proposent une musique plus rythmée. Ces albums ne connaîtront cependant pas le même succès que *Yi-King I* et *Cristal Silence I,* parce que, depuis ses débuts, la MNA au Québec est principalement axée sur la relaxation. Les réseaux conventionnels de distribution n'ont pas la connaissance et la facilité de rejoindre le public-cible.

Après avoir écrit la musique du film *Sadhana* de Marcel Poulin (1988), Labrèche revient avec son troisième volet de la série *Yi-King* qui est de loin le plus musical et le plus réussi de la série. Coxon produit le deuxième volet de *Cristal Silence.* Plus mélodieux que *Cristal Silence I,* il connaîtra autant de succès que le précédent.

LA MNA À LA RADIO

Entre temps, la MNA fait son apparition sur les ondes de la radio commerciale. Chaque station FM nous propose sa propre vision de ce style musical, la plupart choisissant plutôt une musique axée sur le soft-jazz, parce que ces stations n'ont pas la connaissance de la réalité de la MNA et de ses musiciens et, surtout, parce qu'elles sont influencées par le marché du disque américain qui propose ce genre de MNA.

De avril 1989 à janvier 1991, «Nouvel Air», animée par Raôul Duguay au réseau Télémédia FM a présenté à ses auditeurs les grands compositeurs de la MNA, tout en informant les gens sur la vision de ce mouvement.

Il faut mentionner le support constant de Jacques Languirand avec son émission «Par 4

Chemins » et l'appui de CIEL MF à la MNA québécoise.

On ne peut cependant parler d'une présence régulière de la MNA québécoise sur les ondes, la majorité des stations de radios privilégiant encore presque exclusivement la MNA américaine, conçue pour le créneau pop et rock du marché radiophonique.

Il est intéressant de constater que les meilleures émissions de MNA sont diffusées par les radios communautaires, et cela pour la simple et bonne raison qu'elles ne sont pas soumises à la pression de « performer » pour leur cote d'écoute et surtout, ses animateurs sont plus au fait et aussi mieux informés de la réalité de la MNA.

SECOND CONCERT MNA AU QUÉBEC

Suite au succès de *Khâll,* Radio-Canada commande aux Productions Rubicon un second concert de MNA, dans le cadre du 25e anniversaire de CBOF-Outaouais. Présenté en plein air, au lac des Fées (Hull), le 9 août 1989, le spectacle réunissait Raôul Duguay, Michel Robidoux, Robert Haig Coxon, Daniel Blanchet, François Paré et Jean-Pierre Labrèche ainsi que la participation de Josée Novembre. Le spectacle sera également entendu à travers le Canada, dans le cadre de l'émission « Par 4 Chemins ».

LA MNA DU QUÉBEC À L'HEURE INTERNATIONALE !

En septembre 1988, lors d'un premier voyage à San Francisco et Los Angeles, j'ai l'occasion d'aller présenter la MNA du Québec aux dirigeants de la MNA californienne. Dès lors, des contacts de premier ordre sont établis. Au cours de la conférence de presse, annonçant la première rencontre internationale de MNA à Los Angeles, je suis invité à parler de la situation de la MNA au Québec et au Canada, auprès de représentants des États-Unis et de l'Europe.

En février 1989, Robert Haig Coxon et moi représentons l'ANAQ à la première conférence internationale de MNA tenue à Los Angeles. Alex Farhoud et Pascal Languirand y assistent également. Ce sera l'occasion pour nous de concrétiser des ententes qui permettront, en temps voulu, un rayonnement de la MNA québécoise à l'échelle internationale.

Cette rencontre permettra la sortie de l'album *(A+M)²* d'Alex Farhoud au Brésil. Par la suite, ce dernier sera invité à participer à un festival qui se tient à Sao Paulo et Rio de Janeiro, en octobre 1989 et qui met en vedette Paul Horn, John Hassel et Constance Demby.

Entre temps, en septembre 1989, l'ANAQ devient l'AMNAQ Inc. (Association Musique Nouvel Âge Québec). Dorénavant constituée en une corporation sans but lucratif, ces changements visent à assurer un support de premier plan à ses membres-musiciens ainsi que de répondre le plus adéquatement à une demande grandissante d'information sur la MNA de la part des amateurs.

En février 1990, une délégation de sept membres de l'AMNAQ — soit Robert Haig Coxon, Raôul Duguay, Michel Robidoux, Me Jean-Sylvain Pelletier, Daniel Poupart, Richard Gresko et moi-même — représente le Québec à la seconde édition de la conférence internationale de MNA, à Los Angeles. Pascal Languirand et Robert Chacra (Musique Alternative Chacra) y assistent également à titre personnel. Cette délégation est la plus importante après celle des États-Unis. Trois de nous étaient sélectionnés pour participer à des panels, soit Robert Haig Coxon (NAM-An International Language), Raôul Duguay (Audio Environment for a New Society) et moi-même (New Age Contemporary Radio).

De plus, l'AMNAQ sera reçue par MM. Émile Genest et Gabriel Goulet, de la délégation du Québec à Los Angeles. Des ententes y sont prises pour la promotion de la MNA du Québec et la présentation éventuelle de spectacles en Californie.

Les Productions Rubicon profiteront aussi de l'occasion pour présenter *Nova* de Raôul Duguay et Michel Robidoux lors de la conférence. L'album est reçu avec enthousiasme par le milieu et bénéficie maintenant d'une diffusion à travers les États-Unis.

Dès la semaine suivant sa présentation, deux extraits de l'album, « Zéphyr » et « Sogno », sont inscrits à la programmation de la prestigieuse émission de Stephen Hill, MUSIC FROM THE HEARTS OF SPACE, diffusée sur plus de trois cents stations de radio à travers les États-Unis. *Nova* bénéficie maintenant d'une diffusion sur les ondes de plusieurs stations de radio tant aux États-Unis qu'en Italie et au Brésil.

Retombée intéressante de 1990, un extrait de la pièce «Fantasia» de l'album *Nova* était utilisée comme thème musical pour la publicité télévisée annuelle d'une importante banque au Brésil.

Entre temps, sur la scène du réseau alternatif, *L'Arbre de Vie* de Daniel Berthiaume connaît un grand succès. Berthiaume s'est créé un public fidèle par la publication de plusieurs cassettes destinées à la relaxation, au massage et à la méditation. Ses concerts intimistes sont aussi l'occasion pour les gens de vivre une expérience tout à fait spéciale à travers sa musique.

Même succès pour Patrick Bernhardt et son disque *Atlantis Angelis* qui, dans un langage ésotérique basé sur l'utilisation des mantras, propose à ses auditeurs ce qu'il appelle «La musique de l'Âge Éternel».

Au printemps 1990 est créé le Festival International de MNA du Québec (FIMNAQ) qui se tiendra à l'été 1991, à Sainte-Marguerite-du-Lac-Masson. Pour annoncer l'événement, le FIMNAQ présente le 11 août 1990, NOVA, un spectacle multi-média regroupant Raôul Duguay et Michel Robidoux, Robert Haig Coxon, le percussionniste Guy Thouin et, comme invité spécial, pour la première fois au Québec, Steve Roach.

Le spectacle marque le premier d'une série de collaboration à venir, entre musiciens québécois et américains.

Premier spectacle de MNA de grande envergure présenté en plein air au Canada, le concert comprend une sonorisation spatialisée (utilisée également par Jean-Michel Jarre et Michael Stearns, au IMAX Theatre de Los Angeles), une création québécoise d'Alain Martel, des projections lasers, une chorégraphie de Tai-Chi créatif d'Édouard Roy et enfin, pour clôturer la soirée, un feu d'artifice. Présenté en collaboration avec la Chambre de Commerce de Sainte-Marguerite-du-Lac-Masson, l'événement jouira d'une large diffusion et 2 500 personnes assisteront au spectacle, assis sur le gazon.

Durant son séjour au Québec, Steve Roach travaille à la co-réalisation du nouvel album de Daniel Blanchet, *L'Harmonie des Mondes* et au remix, pour la version CD, de *Cristal Silence III,* de Robert Haig Coxon.

Roach réalisera aussi avec Guy Thouin, des pistes de tablas pour son prochain disque, *World's Edge,* dont la sortie est prévue en septembre 1991.

L'AVENIR DE LA MNA QUÉBÉCOISE

Lors du gala de l'ADISQ, en octobre 1990, quatre albums de MNA étaient en nomination dans la catégorie instrumentale soit : *L'Arbre de Vie* de Daniel Berthiaume — une deuxième nomination, *Cristal Silence III* de Robert Haig Coxon, *Nova* de Raôul Duguay et Michel Robidoux et *Musique des Étoiles* de Jacques De Koninck. Au fait, sur neuf albums recensés par l'ADISQ dans la catégorie instrumentale, huit étaient de la MNA !

À noter que l'année précédente, la MNA québécoise avait fait une timide percée à l'ADISQ avec la nomination de deux albums, soit *Nuage* de Daniel Berthiaume et *(A+M)²* d'Alex Farhoud. Ces nominations confirment la réalité de cette musique au Québec.

La production 1991 en musique Nouvel Âge québécoise s'annonce importante et surtout intéressante par son approche plus musicale que mystique. C'est une nouvelle étape pour la MNA québécoise basée sur une vision plus professionnelle.

Près d'une dizaine d'albums paraîtront au cours des prochains mois. Parmi eux, Daniel Blanchet (*L'Harmonie des Mondes*), Robert Haig Coxon (*Crystal New Age* et *The Inner Voyage / Cristal Silence III*), Jean-Pierre Labrèche, de retour d'un voyage de ressourcement en Afrique, Daniel Berthiaume (la suite de sa série sur les 4 éléments), François Kiraly (*Millenium*), Jacques De Koninck (*Keys*), Sativa (*Elysian Fields*), Pascal Languirand (*The New Gregor Wave*), Pierre Lescaut (*Lever du Jour*), et le premier album solo de Michel Robidoux.

Jamais la MNA québécoise ne s'est mieux portée.

Mais la bataille n'est pas gagnée pour autant. D'abord, l'industrie de la MNA devra améliorer ses outils de promotion et de diffusion. Bien que les distributeurs réalisent des ventes impressionnantes dans le réseau alternatif, il leur faudra se rendre à l'évidence que ce réseau ne représente que 5 % du marché potentiel. Pour rejoindre l'ensemble du marché, l'industrie de la MNA Qc devra apprendre à travailler en collaboration avec l'industrie québécoise du disque, se donner des outils de travail adéquats pour une bonne mise en marché et une promotion adéquate de ses produits. Ce qui aura pour effet de faire connaître et mettre en évidence le musicien plutôt que la « cassette ».

Suite à ces nominations à l'ADISQ, plusieurs distributeurs et musiciens MNA ont compris qu'on ne peut demander la reconnaissance d'un milieu dont on s'exclut soi-même ! L'ouverture à la réalité commerciale de l'industrie du disque est primordiale.

À vrai dire, la collaboration et l'échange seront profitables pour les deux marchés. D'une part, les distributeurs MNA bénéficieront d'une expertise et d'un réseau de distribution élargi et bien structuré. D'autre part, les distributeurs « réguliers », dont la complexité du système ne permet guère aux musiques qu'ils distribuent de rejoindre le public cible, profiteront sans aucun doute de l'expérience des pionniers de la MNA. Utopie ou réalité, les prochaines années nous le confirmeront.

En conséquence, l'avenir de la MNA québécoise réside dans sa facilité d'adaptation, son ouverture, sa flexibilité et surtout sa volonté d'élargir son marché.

DISCOGRAPHIE MNA QUÉBÉCOISE*

BERTHIAUME, DANIEL :

I Deal With Silence	
A 101	1987 K7
Nuage	
Derek PRT-01	1988 K7
Parfum	
Derek PRT-02	1988 K7
La Source	
Derek DPB 102	1989 K7
L'Arbre de Vie	
Derek 104	1989 CD/K7
Le Langage du Corps	
Derek DPB 110	1990 K7
La Voie Intérieure	
Derek DPB 112	1990 K7

BLANCHET, DANIEL :

Le Chemin de L'Ermite	
Rubicon GB 2302	1987 CD/K7
L'Harmonie des Mondes	
Rubicon GB 2301	1991 CD/K7

* Source : AMNAQ Inc. (Association Musique Nouvel Âge Québec Incorporée), Boîte postale 640, Succursale Desjardins, Montréal, Québec, H5B 1B7

COXON, ROBERT HAIG :
Cristal Silence I
RHC Prod.CS4-220 1986 K7
Cristal Silence II
RHC Prod.CS4-330 1987 K7
The Inner Voyage (Cristal Silence III)
RHC Prod.CS4-440 1989 CD/K7

DE KONINCK, JACQUES :
Musique des Étoiles, vol. 1
Chacra CHA 026 1990 K7

DIONNE, VINCENT :
Destinations
GMD 1303-13 1989 CD/K7/LP

DIONNE-BRÉGENT :
« ... et le troisième jour »
Capitol ST 70 044 1975 LP
Deux
Capitol ST 70 052 1977 LP

DUGUAY, RAÔUL :
Douceur
Disques 33 T-3 1985 K7/LP

DUGUAY, RAÔUL ET
ROBIDOUX, MICHEL :
Nova
Disques 33 MR-111 1989 CD/K7

FARHOUD, ALEX :
Nosso Nosso
Chacra AF 8501 1985 K7

(A+M)²

Audiogram AD-10026 1988 CD/K7

GIRARD, GONTRAN :

Naissance d'un Papillon

GG 101 1990 CD/K7

HARRIS, ALLYN ET MENDIETA, PETER :

Cycles

Crystal Creek CCR 8501 1987 K7

Pools of Light

Crystal Creek CCR 8702 1989 K7

Lifeline

Crystal Creek CCR 9004 1990 K7

HORROCKS, JOHN ET HARRINGTON, WILLIAM :

Melodies on Canvas

Empress ER-2001 1988 K7

KIRALY, FRANÇOIS ET CREVIER, CHARLES :

Calypso

CCFK 01 1989 CD/K7

KIRALY, FRANÇOIS/CREVIER, CHARLES/CREVIER, JEAN-FRANÇOIS :

Music from the Sky

Sky Music Prod.SMP-001 1987 K7

LABRÈCHE, JEAN-PIERRE :

Yi-King I

Chacra OR 0037 1983 CD/K7

Yi-King II
Chacra AM 0049 — 1986 CD/K7
Sadhana
Odyssée Sonore SOP1501 — 1987 K7
Yi-King III
Odyssée Sonore SOP1101 — 1989 CD/K7

LANGUIRAND, PASCAL :
Minos
Kebek Disc KD-950 — 1978 K7/LP
De Harmonia Universalia
Minos 1002 — 1980 K7/LP
Vivre Ici / Maintenant
Minos 1003 — 1981 K7/LP
Soma (avec Jacques Languirand)
Derek RAS104 — 1989 K7

LESCAUT, PIERRE :
Hélianthe
Musilescau MLD-001 — 1989 K7

MICHAUD, MARTINE :
Kâ
SAGA KAC 89001 — 1989 CD/K7

PARÉ, FRANÇOIS :
Vie Multicolore
1 FP — 1987 K7

ROBITAILLE, JEAN :
Pendulum
Paroles et Musique PEM 046 — 1988 CD/K7

LES INDISPENSABLES MNA QUÉBEC

BERNHARDT, PATRICK
Atlantis Angelis, (D), (58 :34), Aura FCD 3317, 1989, CD/K7.

«Le chant de l'Universel», 4e mouvement, «Transcendastral voyage», «Musique des sphères d'Om».

Bernhardt est une ancienne vedette de la musique pop. Après quelques succès, il quitte le vedettariat et, fort d'une connaissance ésotérique acquise lors de ses nombreux voyages en Orient, il entreprend une nouvelle carrière dans une musique plus près de ses aspirations, «la musique de l'âge éternel», dira-t-il. Auteur du livre *Les secrets de la musique de l'âme* où il nous parle de sa vision ésotérique de la musique, il nous présente un album très inspiré par le chant grégorien, les mantras védiques et tibétains et par la série «Crimson», *Guru Ram Das / Ardas,* de Singh Kaur et Kim Robertson.

Musique simple et bien orchestrée par Robert Lafond, *Atlantis Angelis* saura plaire à ceux qui entreprennent un cheminement ésotérique.

BERTHIAUME, DANIEL
L'Arbre De Vie, (R/M), (58 :53), Derek RME 02, 1989, CD/K7.
« L'orée des bois », « Méditation ».
La Voie Intérieure, (R/M), (55 :05), Derek DPB 112, 1990, K7.
« La voie intérieure », « La perle bleue ».

Berthiaume nous propose une musique de réflexion, de prise de contact direct avec le silence à l'intérieur de soi. Inspiré par les musiques de Brian Eno, Steve Roach et Vangelis, Berthiaume nous présente une musique où le silence est prédominant.

L'Arbre de Vie, son cinquième album, se rapproche le plus de son âme de musicien et est aussi, à mon avis, le plus réussi de sa discographie. L'album s'est aussi classé pour un prix FÉLIX dans la catégorie intrumentale lors du dernier gala de l'ADISQ. Créateur de mélodies simples mais combien efficaces, il est passé maître dans l'art de créer des ambiances propres à la méditation et au recueillement. À ce titre, *La Voie Intérieure,* son dernier album, se présente comme une initiation à la méditation à travers la musique. Berthiaume s'impose lentement mais sûrement comme un des très bons compositeurs de MNA du Québec.

BLANCHET, DANIEL

Le Chemin de l'Ermite, (D), (40 :43), Rubicon GB 2302, 1987, CD/K7.

«Le guide du temple d'or», «La vallée initiatique», «La vallée de Khung Khola», «Le chemin de l'ermite».

L'Harmonie des Mondes, (D), (56 :44), Rubicon GB 2301, 1991, CD/K7.

«L'harmonie des mondes», 1er et 2e mouv., «Les monts Houang Chang», «Le rêve d'Icare», «Ellievel».

De formation classique, Blanchet nous présente une œuvre qui s'inspire des Oratorios de Bach et des musiques de Steve Roach. Sa musique évoque la grandeur des cathédrales. Inspiré des toiles du peintre nouvel âge Gilbert Williams, *Le Chemin de L'Ermite* propose des tableaux de l'imaginaire, descriptifs et lyriques, rappelant parfois Kitaro. *L'Ermite* sera disponible en format CD en septembre 1991.

L'Harmonie des Mondes tire son inspiration du traité d'astronomie écrit par l'astronome allemand Johannes Kepler (1571-1630). Il y explore les différentes facettes de la philosophie, de l'astronomie et de la musique de son époque. Il démontre les relations existantes entre ces trois domaines. Il associait, entre autres, les notes musicales aux planètes car il croyait que chacune d'elles émettait un son dans l'espace. Co-réalisé avec Steve Roach, un des maîtres en MNA, l'album propose une musique à la façon de poèmes symphoniques.

Sur la face A, se trouve une musique aux accents mélodieux. La face B, quant à elle, offre une musique plus expérimentale et symphonique. L'influence classique de Blanchet y est plus évidente, principalement dans la suite qui donne son titre à l'album.

COXON, ROBERT HAIG
Cristal Silence I, (R/M), (47 :14), RHC Prod.CS4-220, 1986, K7.
«Cristal Silence».
The Inner Voyage (Cristal Silence III), (D), (44 :00), RHC Prod.CS4 440,1989, CD/K7.
«Cristal Dreams», «For the Moment», «Magic Forest», «The Voyage», «Mikaal».

Robert Haig Coxon est le plus grand vendeur de MNA au Canada. *Cristal Silence I* est désormais un classique. Utilisée par la majorité des thérapeutes, dans les écoles et les hôpitaux, c'est la seule cassette qui s'affiche comme l'ultime outil de relaxation... et qui l'est vraiment. Après avoir travaillé de façon scientifique avec des spécialistes en la matière, Coxon a créé une musique pour permettre à tous et chacun de pouvoir se relaxer sans nécessairement passer par les longs apprentissages des diverses méthodes de relaxation.

Si on tient compte des résultats et du succès de vente qu'a connu, et connaît encore, *Cristal Silence I,* Coxon a vraiment atteint son but.

Troisième et dernier volet de la série, *The Inner Voyage (Cristal Silence III)* s'avère plus mélodieux et plus orchestré. Outre «The Voyage», la suite «Cristal Dreams» est un véritable chef-d'œuvre de composition. Pour la version CD de *Cristal Silence III,* Coxon est retourné en studio avec Steve Roach, en août 1990, pour re-mixer l'album. Musicalement, les versions sont semblables. L'innovation, par rapport à la première version sur K7, est la présence de trois nouvelles pièces — dont deux, créées « live » en studio — donnant une dimension nouvelle et plus profonde à l'album. « For the Moment », capte à elle seule toute l'essence de la série.

En nomination pour un prix FÉLIX, lors du gala de l'ADISQ en 1990, *The Inner Voyage* est un des grands albums de MNA québécoise.

DE KONINCK, JACQUES
Musique des Étoiles vol.1, (D), (54 :29), Chacra CHA 026, 1990, K7.

« Flocons d'étoiles », 2e mouvement (chœur).

Musicien, artiste-peintre et policier, De Koninck nous présente son premier album. Composé à l'origine pour un programme sur la réalité du stress en milieu policier à la ville de Montréal, *Musique des Étoiles* propose une musique aux allures symphoniques avec des touches à la Vangelis et Kitaro. L'album était en nomination pour un prix FÉLIX dans la catégorie instrumentale lors du gala de l'ADISQ en 1990.

DUGUAY, RAÔUL et ROBIDOUX, MICHEL
Nova, (D), (54:26), Disques 33 MR-111, 1989, CD/K7.

«Zéphyr», «Fantasia», «Sogno».

Nova, le deuxième album du duo Duguay/ Robidoux — le premier était *Douceur* et incluait «L'Oiseau pour la Paix» —, se révèle innovateur à plusieurs points de vue. C'est le premier disque instrumental pour Duguay; l'album est le fruit d'une recherche sur la voix et l'harmonie.

Bien que Raôul ne chante que sur une pièce, «À la Claire Fontaine», il utilise plutôt sa voix à la façon d'un instrument sur la majorité des pièces. Par exemple, dans «Africœur», sur les cinquante-trois pistes d'instruments, trente-huit utilisent la voix en tant que percussions et chœur. La pièce-titre résulte d'une collaboration entre le compositeur et des scientifiques. À la base du projet du Pyradôme, événement multi-sensoriel unique, elle personnifie en dix minutes, l'histoire de l'Univers, de sa création à aujourd'hui. Dans cette pièce, Raôul utilise les harmoniques, popularisées par David Hykes et le Harmonic Choir.

La collaboration de Robidoux, tant au niveau des compositions que des arrangements, est à souligner. «À la Claire-Fontaine» est un petit bijou d'arrangements. Soulignons également la voix superbe de Josée Novembre, que l'on peut entendre aussi sur la pièce «Nova».

Pour compléter l'album, on retrouve «Sogno», version instrumentale de «À la Claire-Fontaine», «Fantasia», une ode à l'enfance, de

Robidoux et «Zéphyr», de Duguay, présentée en première à KHÂLL et qui s'avère un des points forts de l'album.
Nova, était aussi en nomination au gala de l'ADISQ en 1990.

FARHOUD, ALEX
Nosso Nosso, (D), (38 :04), Chacra AF 8501, 1985, K7.
«Khâl III», «Mû», «Khâl II», «Just a Child».
(A+M)², (D), (48 :44), Audiogram AD-10026, 1988, CD/K7.
«Everything is Burning», «Dambala Segovia», «A + M», «Iemanja Oe».

Né au Liban, Farhoud s'est tout d'abord intéressé à la peinture et au design qu'il a exercés au Liban et au Brésil. Parallèlement, il poursuit une carrière d'architecte. Il en vient à la musique en 1983.

Fasciné par la musique d'ambiance, imaginative, dans sa dimension poétique et sa relation avec le temps et l'espace, il travaille ses compositions à la façon d'un architecte des mélodies et des sons. *Nosso Nosso,* son premier disque, est un retour imprévu aux paysages sonores de son enfance. Neil Smolar, Jean Corriveau et Vincent Dionne arrangeront les pièces de l'album à partir des mélodies de Farhoud. Qualifiant l'état de silence, en Japonais, *Nosso Nosso,* d'inspiration lyrique et rappelant parfois Vangelis, il propose une réflexion dans le silence.

(A + M)², son deuxième disque, nous propose une musique plus dynamique. L'ensemble ressemble à ces ballades dont la mélodie vous reste longtemps dans la tête. Réalisé avec l'aide d'Aldo Nova (Céline Dion, Cindy Lauper, Bon Jovi) et Daniel Barbe pour la pièce « Everything is Burning », ce disque nous présente une musique aux couleurs orientales et brésiliennes qui nous sortent des clichés propres à la MNA. Si vous êtes un amant des musiques de Vangelis, *(A + M)²* est pour vous !

HARRIS, ALLYN et MENDIETA, PETER
Pools of Light, (D), (40 :58), Crystal Creek CR 8702, 1987, K7.
« Music Pink & Blue », « Pools of Light ».

Harris et Mendieta sont deux musiciens de la région de l'Estrie. De formation classique, ils donnent de nombreux concerts en duo en plus d'écrire des musiques pour l'ONF et la série télévisée *Sesame Street. Pools of Light* est le reflet de leur vie en pleine nature. Musique toute en nuances, aux textures veloutées, l'album est l'image d'un ciel étoilé, un soir d'été.

HORROCKS, JOHN et HARRINGTON, WILLIAM
Melodies on Canvas, (D), (45 :05), Empress ER-2001, 1988, K7.
«Memories of a Purple Afternoon», «Magen».

Horrocks roule sa bosse en tournée dans les cégeps et les universités du Québec depuis 1981. Harrington est l'expérimentateur du groupe. Fasciné par les techniques d'enregistrements, la programmation, la composition électro-acoustique et l'histoire du jazz, il adapte ces différents concepts musicaux aux aspects sonores d'Horrocks.

Le duo Horrocks/Harrington nous présente une musique acoustique inspirée du folk. *Melodies on Canvas* est une œuvre musicale qui repose sur l'improvisation, où les rythmes, les harmonies et les mélodies se divisent et s'entremêlent.

KIRALY, FRANÇOIS/CREVIER, CHARLES/CREVIER, JEAN-FRANÇOIS
Music from the Sky, (R/M), (44 :05), Sky Music Prod. SMP-001, 1987, K7.
«The Man Who Wanted to Fly», «Setting Sun», «Great Wind of the Sea».

Music from the Sky nous propose une musique céleste, profonde et introspective. Disque fort apprécié pour son côté méditatif et son programme double — identique sur les deux faces —, la musique du trio s'inspire des musiques de Klaus Schulze et Tangerine Dream. Leur travail de recherche sur les couleurs musicales et les orchestrations fait de cet album une des meilleures productions québécoises sur le marché.

KIRALY, FRANÇOIS et CREVIER, CHARLES
Calypso, (D), (44 :22), CCFK 01, 1989, CD/K7.
 « L'aurore », « L'île du naufragé », « Calypso », « Le Goéland », « Océans ».

Après avoir produit *Music from the Sky,* un des très grands albums de la MNA d'ici, deux des membres, François Kiraly et Charles Crevier, nous reviennent avec *Calypso.* Dans des ambiances semblables à *Music From The Sky,* le duo nous présente un album riche en composition et en arrangements.

Plus mélodieux, Kiraly et Crevier nous proposent, en dix courtes pièces, un voyage sur le thème de l'eau. Musique émouvante et d'une grande sérénité, *Calypso* est une œuvre remarquable !

LABRÈCHE, JEAN-PIERRE
Yi-King I, (D), (44 :21), Chacra OR 0037, 1983, CD/K7.
«Yi-King».
Yi-King III, (D), (44 :50), Odyssée Sonore SOP 1101, 1989, K7.
«Les ponts vers Tenryu-Ji», «The Path after the Path».

Jean-Pierre Labrèche est le pionnier de la deuxième vague de MNA au Québec. Musicien ayant touché à tous les styles musicaux, du rock au contemporain, en passant par le jazz, le blues et la musique brésilienne, il arrive à la MNA par intuition.

Après avoir frôlé la mort lors d'un voyage en Amérique du Sud, sa conception de la vie change. Dans sa quête de l'Absolu, il découvre la philosophie orientale et le Yi-King. Ce sera à partir de cette démarche qu'il créera *Yi-King I,* paru en 1983. Avec plus de 50 000 copies vendues (et trois fois plus de copies piratées!), et ce, sans aucune forme de publicité ou de promotion, cet album devient un classique de la MNA québécoise. Musique douce, d'inspiration orientale, *Yi-King I* est comme un clair de lune: tout en douceur.

Le troisième volet de la série *Yi-King III* pousse plus avant l'expérience musicale. D'inspiration japonaise, la pièce «Les Ponts vers Tenryu-Ji» est une longue suite où se mêlent émotion et mysticisme. *Yi-King III* sort des clichés habituels pour nous présenter une musique nuancée et originale.

LESCAUT, PIERRE
Hélianthe, (D), (45 :21), Musilescau MLD-001, 1989, K7.

«Au crépuscule, Les ondines», «La chute de l'île aux noix».

Pierre Lescaut est l'ancien claviériste et compositeur du groupe Aquarelle (1978-1980). Après avoir composé trois œuvres pour chorales, dans la région de la Matapédia, il crée sa première pièce MNA en 1982. «Musique en Ré pour un corps en spirale» sera diffusée à l'émission *Le Voyage Intérieur* sur les ondes du réseau FM de Radio-Canada.

Hélianthe, son premier album de MNA, nous offre une musique d'une belle simplicité. Inspirée par un contact harmonieux avec une nature douce et apaisante, cette musique traduit la beauté et la tendresse surgies de la profondeur du toucher, ce geste d'amour qui nous ouvre comme une fleur au soleil.

MICHAUD, MARTINE
Kâ, (D), (37 :36), SAGA KAC 89001, 1989, CD/K7.

«Hachepsout», «Gretchen am Spinnrade», «Devant moi la mort», «Une ombre sur un mur», «Remember Me».

Récipiendaire du prix FÉLIX pour la meilleure mise en scène, en 1989, la musique de *Kâ* est la représentation de cet événement multimédia, de Martine Michaud. Sur des arrangements de musiques de Poulenc, Purcell et

Schubert, entre autres, et des textes de Goethe, Baudelaire, Morike et Michaud, *Kâ* nous raconte l'histoire d'Hatchepsout, cette femme-pharaon égyptienne dont l'histoire s'est chargée de nous faire oublier l'existence.

D'allure MNA, les arrangements d'Alain Déry alliés à la superbe voix de Michaud, nous offrent une musique surprenante, innovatrice et sensuelle. Et si *Kâ* passe par chez vous, faites-vous le plaisir d'y assister.

1991
25
ans

PLANÉTARIUM DOW

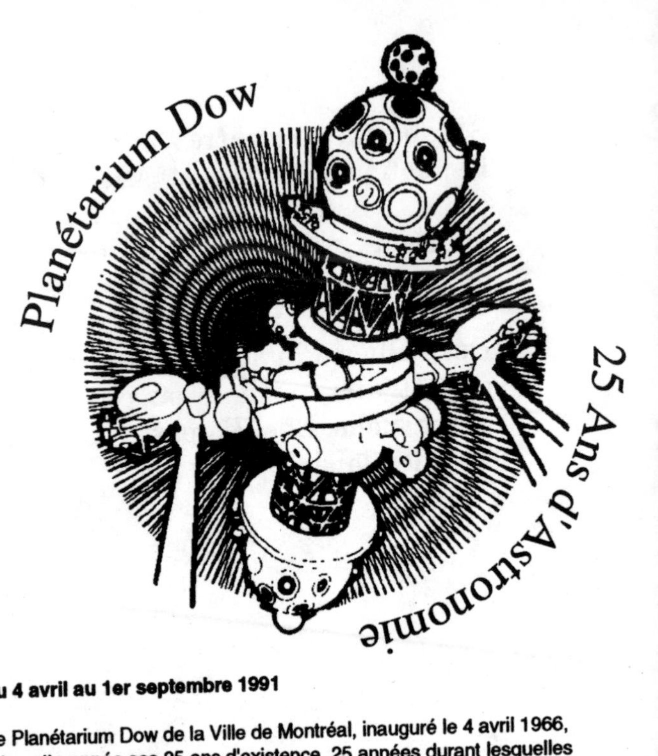

du 4 avril au 1er septembre 1991

Le Planétarium Dow de la Ville de Montréal, inauguré le 4 avril 1966, fête cette année ses 25 ans d'existence. 25 années durant lesquelles plus de quatre millions de spectateurs et spectatrices ont assisté à 150 productions originales, présentées dans le théâtre des étoiles. 25 années durant lesquelles nous avons cherché à rendre accessible à tous les merveilles et les mystères de l'Univers.

Dans le cadre de ce spectacle anniversaire, nous revivrons ensemble 25 années de découvertes en astronomie: l'exploration des planètes du système solaire, le retour de la comète Halley, l'extinction des grands dinosaures, la vie extraterrestre et les tentatives de communication avec d'autres civilisations, et, bien sûr, la découverte d'une faune étrange peuplant le cosmos: pulsar, quasar, trous noirs, etc...

Votre Planétarium fête ses 25 ans. Venez célébrer avec nous, et en route vers le 50e anniversaire!

Renseignements, Administration et Réservations:
Planétarium Dow
1000, rue Saint-Jacques Ouest
Montréal (Québec) H3C 1G7
(514) 872-4530

VIVRE
MONTRÉAL

TROISIÈME PARTIE

LES INDISPENSABLES

LES INDISPENSABLES

ACKERMAN, WILLIAM
Conferring with the Moon, (D), (54 :26), Windham Hill WD1050, 1986, CD/K7.

« Conferring with the Moon », « Improv 2 », « The Last Day at the Beach », « Shape of the Land », « Conferring with the Moon » (solo).

Guitariste de talent, William Ackerman fonde, en 1976, la compagnie de disques Windham Hill, longtemps associée à la MNA, bien que son fondateur en ait toujours refusé l'étiquette.

D'origine folk, sa musique reflète la quiétude et la sérénité des longues journées passées en montagne.

Sixième disque de Ackerman, *Conferring with the Moon* est une rencontre intime avec sa musique. Inspiré par les confidences que peut provoquer la Lune chez les gens, le guitariste a créé différents tableaux où se dégage un climat de délicatesse et d'intimité. À l'intérieur du livret qui accompagne le CD, Ackerman nous parle de chacune des pièces de l'album. Et, pour les guitaristes intrigués par les sonorités de sa guitare, Ackerman nous fournit une tablature indiquant les différentes tonalités de guitare de ses pièces.

AEOLIAH

Crystal Illumination, (D/M), (54 :50), Chacra C 055/CD022, 1988, CD/K7.

«Lotus Love», «Crystal Illumination», «Consecration», «Garden of Eternal Spring».

Love in the Wind, (R), (47 :44), Chacra C 066, 1990, CD/K7.

«Windsong», «Awakening», «Hearts of Fire».

D'origine allemande, Aeoliah nous présente une musique qui lui est particulière. D'abord peintre, l'idée de créer de la musique lui est venue par inspiration. Sa musique est à son image : sereine et paisible.

Tableaux de l'imaginaire, tout comme ses magnifiques peintures qui ornent ses pochettes, ses différents albums nous font explorer toute une gamme d'émotions. Mais c'est vraiment avec *Crystal Illumination,* son cinquième album, que sa musique prend sa véritable dimension. Musique d'harmonisation intérieure, *Crystal Illumination* est un des grands disques de l'année 1988. Cette symphonie intérieure saura rejoindre vos émotions profondes.

Love in the Wind, son dernier disque, est une symphonie romantique. Ce disque est dédié à tous les amoureux, et à ceux dont l'amour habite le cœur. D'une douceur et d'une grande tendresse, cette musique vous enveloppera, vous séduira.

BALL, PATRICK
Celtic Harp, vol.I / The Music of Turlough O'Carolan, (D), (42 :40), Fortuna 005, 1983, CD/ K7.

« Carolan's Farewell to Music », « Dermott O'Dowd/The Queen's Dream », « Carolan's Quarrel with the Landlady », « Blind Mary », « Lady Athenry/Fanny Pœr ».

Patrick Ball est conteur et musicien. Il est aussi une des figures dominantes de la renaissance de la harpe celtique à l'instar de Alan Stivell et Kim Robertson. Sa musique se différencie des autres par l'approche qu'il fait des musiques traditionnelles irlandaises. Il s'inspire plus particulièrement du style développé par Turlough O'Carolan, harpiste aveugle, réputé, au XVIIe et XVIIIe siècle, pour avoir écrit plus de deux cent cinquante chansons (dont plusieurs ont traversé le temps et inspiré nos chants folkloriques) et révolutionné l'utilisation de la harpe. Sur ce disque, Ball rend hommage à ce grand compositeur en interprétant quelques-unes de ses meilleures pièces. Si vous aimez ce disque, procurez-vous les trois autres volumes de harpe celtique de Ball. Ils sont tous une célébration pour l'oreille.

BERGLUND, ERIK

Angelic Harp Music, (D), (40 :22), Helios 023, 1988, CD/K7.

«Angel of Hope », «Angel of the Healing Waters », «Angel of Dreams », «Angel of the Morningstar ».

Harp of the Healing Waters, (D), (46 :50), Helios 024, 1990, CD/K7.

«Lake of Enchantment », «Waters of Remembrance », «Sea of Dreams », «Spirit of the Healing Waters ».

Berglund a grandi dans un environnement musical. Sa mère était chanteuse et dirigeait une chorale ; son père était directeur du département des Beaux-Arts et directeur de l'orchestre au Saint-Olaf College.

Après avoir donné plusieurs concerts, en tournées à travers les États-Unis et l'Europe, il s'intéresse à la harpe après avoir entendu la musique de Joel Andrews. Suite à sa rencontre avec Aeoliah, avec qui il se liera d'amitié, naîtra une série d'albums.

Angelic Harp Music est leur cinquième collaboration et aussi une de mes plus belles découvertes de 1989. J'ai été très touché par la musique de Berglund. La magie de sa harpe et les orchestrations d'Aeoliah qui l'accompagne font de cette musique une symphonie angélique. D'ailleurs, comme l'indique son titre, *Angelic Harp Music* se veut une offrande au royaume des anges dont l'Amour inconditionnel, la compassion et les services à l'humanité sont évoqués à travers les différentes pièces.

Harp of the Healing Waters poursuit dans la même lignée. Toute aussi intérieure, cette musique se veut une méditation sur le thème de l'eau, source de purification et de guérison. Vous aurez beaucoup de joie à découvrir la musique d'Erik Berglund.

BOSWELL, JOHN
The Painter, (D), (50 :30), Scarlet Records SR-25701, 1988, CD/K7.
« Mafu », « Thanks », « James and the Giant Peach », « Frontiers », « Pleiades ».

Ce premier disque de Boswell, musicien de la région de New York, nous présente une musique pleine de sensibilité. Cet album de piano solo, comme on nous en présente une quantité considérable par les temps qui courent, se démarque du lot par sa grande simplicité et surtout, sa complicité avec l'auditeur, un peu comme si on retrouvait un vieil ami. *The Painter,* c'est douze tableaux de l'imaginaire qui viennent du cœur de Boswell.

BRAHENY, KEVIN
The Way Home, (R/M), (50 :47), Hearts of Space HS 11001, 1987, CD/K7.
« The Way Home ».
Galaxies, (D), (57 :07), Hearts of Space HS 11004, 1988, CD/K7.
« Galaxies Main Theme », « Going Home », « Ancient Stars », « The Southern Cross ».

Kevin Braheny est un des pionniers de la musique nouvel âge en Californie. C'est aussi un des créateurs importants de cette deuxième vague de musique du Nouvel Âge.

The Way Home témoigne des débuts de Braheny et date de 1984. Enregistré en direct dans le cadre de l'émission radiophonique de Stephen Hill: « Music from the Hearts of Space », l'album comprend deux longues suites célestes et éthérées. Il plaira autant aux amateurs de musique électronique de la première heure (Tangerine Dream, Klaus Schulze) qu'à ceux qui cherchent des musiques pour la relaxation et la méditation.

Galaxies est un recueil de seize courtes pièces de 3 à 6 minutes, créées spécialement pour le Hansen Planetarium. Lyrique, la musique est envoûtante et mélodieuse. Dans la même lignée que *The Way Home* et *Western Spaces, Galaxies* est recommandé aux amateurs d'étoiles et surtout aux passionnés de belle musique.

BURMER, RICHARD

Bhakti Point, (D), (45 :42), Fortuna 17047, 1987, CD/K7.

« Bhakti Point », « The Turn Again », « Reunion », « Closer than Home », « Willow Song ».

On the Third Extreme, (D), (44 :12), American Gramaphone AG 691, 1990, CD/K7.

« Turning to You », « The Forgotten Season », « Magellan », « Waking the Icons ».

Burmer est une figure importante de la nouvelle génération des compositeurs du Nouvel Âge. Sa musique est d'un lyrisme comparable à celle de Vangelis. Il est l'un des nouveaux musiciens les plus originaux des dernières années, en MNA. Compositeur de « Across the View », une des plus belles musiques du Nouvel Âge parue sur la première version du *Western Spaces,* cette pièce s'est vendue, au Japon seulement, à des milliers d'exemplaires et est devenue le thème musical de J-WAVE, la station-radio MNA de Tokyo.

Bhakti Point, son deuxième album, et aussi le plus achevé, nous propose un voyage dans l'imaginaire, alliant les rythmes et mélodies envoûtants. Musique plus dynamique, il n'en demeure pas moins qu'il possède un sens de la mélodie sans pareil, à preuve, entre autres, « The Turn Again ».

On the Third Extreme, son troisième et dernier disque, nous fait découvrir un Burmer plus mélodieux que jamais ; « Turning to You » vaut à elle seule l'achat du disque ! Plus rythmée, la musique de Burmer, dans son style particulier, démontre le talent créateur d'un musicien qui saura s'imposer comme un des leaders de la nouvelle musique nouvel âge.

CIANI, SUZANNE

The Velocity of Love, (D), (36 :46), RCA 1-7125, 1985, CD/K7.

« The Velocity of Love », « Lay Down Beside Me », « Malibuzios ».

Pianissimo, (D), (52 :04), Private Music 2073, 1990, CD/K7.

« She Said Yes », « Anthem », « When Love Dies », « Tuscany », « Berceuse ».

Ciani est l'une des rares femmes à composer de la MNA et à connaître le succès. Elle cherche à toucher les gens à travers leurs émotions, que ce soit la joie, la passion, la tristesse ou tout simplement le calme.

Reconnue depuis longtemps dans le domaine de la publicité — on lui doit notamment la musique de la plupart des commerciaux américains de Pepsi d'il y a quelques années — elle possède une grande maîtrise des synthétiseurs et de la composition. Ses influences sont Chopin, Mozart, Bach, Debussy et Bartock. Elle voue aussi une grande admiration à Vangelis qui est devenu depuis, un grand ami.

The Velocity of Love est le titre de son deuxième disque. Après avoir connu quelques difficultés à publier *Seven Waves,* son premier disque (publié par une compagnie japonaise !), RCA accepte de sortir son deuxième album. Sans toutefois connaître un succès commercial marqué, il demeure que cet album est un petit bijou. Ceux qui aiment le lyrisme et la sensualité de la musique de Vangelis se régaleront. Fait peu connu, par amitié pour Ciani, Vangelis joue sur trois des pièces de l'album : « Lay down beside me », « Malibuzios » et « History of my Heart ». D'un grand lyrisme, la pièce-titre vaut à elle seule l'achat du disque.

Pianissimo, son cinquième et tout dernier disque, est composé uniquement de pièces interprétées au piano solo, son instrument d'origine. Comme une sorte de retour aux sources, suite à une série de concerts seule à son piano, Ciani a réarrangé des pièces de ses deux derniers disques parus chez Private Music, soit « Neverland » et « History of my Heart », et a composé pour l'occasion, quatre nouvelles pièces. Le résultat nous permet de mieux apprécier le talent de compositeur de Ciani et demeure un des rares disques de piano, paru dans le répertoire MNA, à posséder « de l'âme » !

CHIN, COLIN

Intruding on a Silence, (E), (46:15), Narada Mystique ND6206, 1990, CD/K7.

> « In Heaven's Wake », « Ayers Rock », « A March Through The Queen's Garden », « The Alluvian Plains ».

Colin Chin est un musicien de Los Angeles qui a travaillé avec des musiciens prestigieux dont Mark Isham, Peter Maunu et Patrick O'Hearn au sein du Group 87, réputé pour sa musique instrumentale exploratoire au début des années '80. D'ailleurs, à l'exception de Maunu, on retrouve ces mêmes musiciens sur l'album.

Inspiré par la notion de silence qui, dira Chin, est de moins en moins présente dans la vie des gens, il nous offre une musique qui respire, une musique où le silence devient partie intégrante de la musique, tel un instrument.

Intruding on a Silence est un des rares albums, avec celui des musiques de O'Hearn, à ne pas sombrer dans les clichés d'une MNA Rock & Roll ! Si vous avez aimé *Eldorado* de Patrick O'Hearn, cet album est pour vous.

COYOTE OLDMAN

Thunder Chord, (R/M), (42 :30), Coyote Oldman Music CO-4, 1990, CD/K7.

«Ascent», «Medecine Flute», «Field of Clouds», «Turtle Island».

Coyote Oldman est un duo composé de Michael Graham Allen et Barry Stramp. Artistes dans sa forme la plus noble, ils sont les créateurs complets de leur œuvre, allant de la fabrication de leurs instruments à la conception et composition de leur musique.

Musique de recueillement, musique de silence, *Thunder Chord* évoque un temps ancien où le rythme des saisons était en harmonie avec l'homme.

Porteur d'une tradition amérindienne ancestrale, la musique de Allen et Stramp se compare à une douce brise. L'enregistrement a été fait uniquement avec des instruments anciens, tels les flûtes péruviennes, incas et indiennes, construites selon des notions archéologiques précises. L'album ne contient aucun synthétiseurs ou échantillonneurs. Les auteurs voient le studio comme un environnement de l'imaginaire où ils créent leur réalité en intégrant le pouvoir mystérieux des flûtes anciennes alliées aux techniques modernes d'enregistrement.

Thunder Chord est donc le résultat d'une technologie d'enregistrement sophistiquée où se dégagent une grande émotion et une belle simplicité. Coyote Oldman a réussi à créer son propre langage, un langage de pouvoir d'un temps ancien et d'une profondeur mystique.

CRUTCHER, RUSTY

Machu Picchu Impressions, (D/M), (44 :53), Emerald Green ED 8401, 1989, CD/K7.

«Mama Tierra» 2nd mvt, «Papa Cielo» 3rd mvt, «Mama Tierra» 4th mvt, «Papa Cielo» 2nd mvt.

Chaco Canyon, (D), (43 :27), Emerald Green ED 8404, 1990, CD/K7.

«Soft Eyes», «Falling Skies», «Winter Coyote Dance», «Eagle».

Machu Picchu Impressions est un véritable enchantement. Crutcher, un vétéran des studios d'enregistrement à Los Angeles, a joué avec, entre autres, Lionel Ritchie, les Commodores et Alphonse Mouzon (anciennement de Weather Report) comme claviériste et saxophoniste.

Machu Picchu Impressions fait partie d'une série d'albums dédiés aux sites sacrés tels Chaco Canyon, la forêt amazonienne, Stonehenge et, évidemment, Machupicchu. Ces pélerinages nous rappellent en fait que tout espace est sacré, que ce champ du sacré se trouve déjà en nous.

Avec cet album, il nous convie à un voyage, une méditation sur ce « site de pouvoir » situé au Pérou. Crutcher tisse une musique vibrante et pleine d'émotions enregistrée numériquement lors de la Convergence Harmonique des 16 et 17 août 1987. La richesse de ses mélodies, couplée aux sons de la nature font de ce disque l'une des plus belles parutions en MNA.

Chaco Canyon poursuit la quête de Crutcher. Cette fois-ci, il utilise la dimension désertique au Nouveau-Mexique. Sur ce site, autrefois, patrie de l'ancienne et mystérieuse culture Anasazi où, dit-on, se tenaient des cérémonies sacrées, Crutcher a recueilli les sons et ambiances de l'endroit pour construire une musique empreinte de mystère et d'émotion.

DANNA, MICHAEL ET CLEMENT, TIM
Summerland, (R/M), (51:04), Chacra SL 0011, 1986, K7.
« Stars and Spells », « Hours in the Garden », « To the Land beneath the Sea ».
Another Sun, (D), (51:56), Chacra SL 0012, 1986, CD/K7.
« Sparrow Hill », « Antiphon », « Persia », « Hanging Flame ».

Michael Danna et Tim Clement sont deux musiciens de la région de Toronto. Claviériste de formation classique, Danna possède un baccalauréat en composition et en direction musicale. Il a, en outre, gagné de nombreux prix dont le fameux prix de musique électronique Hugh Le Caine (décerné par la CAPAC) à deux occasions. Clément s'intéresse à la musique électronique depuis le début des années '70. Ses influences sont d'origines africaines et orientales. Le duo travaille de concert depuis 1982 partageant la même passion pour la musique et les diverses possibilités qu'offre la nouvelle technologie.

Summerland, leur second album, est un chef-d'œuvre et probablement l'un des plus beaux disques de MNA au plan international. Cette musique d'ambiance aux couleurs de l'été est paisible et d'une rare sensibilité. On pourrait la comparer à l'intensité de la série *Quiet Music* de Steve Roach.

Another Sun est plus progressive. Elle dépeint les influences ethniques de Clément. Même si cet album est plus expérimental que *Summerland,* il n'en demeure pas moins qu'il témoigne de la qualité à laquelle le duo nous a habitués. À noter que pour le CD, Danna et Clement sont retournés en studio pour réviser et réenregistrer la musique.

DEMBY, CONSTANCE

Novus Magnificat, (R/M), (53 :40), Hearts of Space HS 11003, 1986, CD/K7.

«Part 1 », «Part 2 ».

Set Free, (D), (66 :51), Hearts of Space HS 11016, 1989, CD/K7.

«Celestial Communion », «Moving On », « Waltz of Joy », «Lotus Opening »,« Mother of the World», « The Galactic Chalice ».

Novus Magnificat est une œuvre majeure de la MNA. Sélectionné comme un des dix albums les plus importants (3e position) de la décennie 80 par le magazine américain *Pulse,* il consacre Demby comme une des chefs de file de la MNA.

De formation classique, elle est fascinée par les « sculptures sonores ». Après diverses explorations musicales — *Novus* est son sixième disque —, elle expérimente avec les échantillonneurs numériques pour créer un son aux allures symphoniques.

Rappelant les Oratorios de Bach et les musiques de Vivaldi, *Novus Magnificat* est une symphonie des étoiles. Grandiose, majestueux et évoquant la grandeur des cathédrales, l'album est une œuvre unique.

Réussir à survivre à *Novus Magnificat* demeure un exploit remarquable si on considère que la plupart des musiciens de MNA ont la fâcheuse habitude de nous présenter des copies carbone de leur succès. Pour *Constance,* pas question d'un *Novus II. Set Free* résume bien ses états d'âme. « Waltz of Joy », qui ouvre l'album, est significatif de la joie de vivre de Connie après les angoisses ressenties à créer un album suivant *Novus*.

Demby nous présente onze pièces variant de 5 à 7/9 minutes. Sur la face A se trouve une musique plus dynamique, dansante même, aux allures polyrythmiques et d'influence multiculturelle, telles la musique balinaise et javanaise. Les pièces de la face B se rapprochent davantage des ambiances de *Novus*. Elles sont méditatives et dégagent une ambiance de sacré.

DEUTER

Cicada, (D), (46 :12), Kuckuck 056, 1982,CD/K7.
«From Here to Here», «Cicada», «Sun on my Face», «Haiku», «Alchemy».

Call of the Unknown, (D), (73 :10), Kuckuck 076/77, 1986, CD/K7.
«Peru Le Peru», «The High Road», «La Illaha Il Allah», «Cathedral», «Haleakala Mystery».

Land of Enchantment, (D), (55 :10), Kuckuck 081, 1988, CD/K7.
«Pierrot», «Petite Fleur», «Celestial Harmony», «Wind of Dawn», «Waves and Dolphins».

Né en Allemagne, Georg Chaitanya Hari Deuter, mieux connu sous le simple nom de Deuter (prononcer Doy-ter) est un des pionniers de la MNA (1971). Auteur de plusieurs musiques de méditation dans l'action (méditaction !), il a développé un style particulier où on retrouve un heureux mélange de musique acoustique et de sonorités électroniques. Il est aussi un des premiers à fusionner les influences musicales et philosophiques de l'Orient et de l'Occident.

Chacun de ses albums est une célébration de la Vie. Flûtes, guitare acoustique, synthétiseurs et parfois bruits de la nature sont les éléments de sa musique, reflet pan-culturel de sa vision du monde. De la danse à la méditation en passant par la contemplation, Deuter nous fait vivre des émotions qui ramènent à l'essence de soi. *Cicada,* son septième disque, est une célébration à la nature, à la Vie qui s'éveille, au printemps. *Call of the Unknown,* son neuvième album, est une sélection de ses meilleures musiques. L'album est une très belle introduction à la magie de sa musique.

Enfin, *Land of Enchantment,* son dixième et dernier disque, et probablement le plus beau, est une célébration du pouvoir de réflexion et de méditation de la nature, pouvoir qui porte le cœur à danser. Vous prendrez un grand plaisir à goûter la sérénité de la musique de Deuter.

DOUGLAS, BILL
Jewel Lake, (D), (49:18), Hearts of Space HS 11006, 1988, CD/K7.

«Angelico», «Innisfree», «Deep Peace», «Jewel Lake», «Infant Dreams», «Folk Song».

Douglas est un musicien canadien qui a commencé sa carrière en imitant Elvis Presley, dans les années 50. Par la suite, il fut, tour à tour, pianiste de jazz et bassonniste dans les années 60, compositeur classique d'avant-garde et artiste «space-funk» dans les années 70 et musicien électronique dans les années 80! Curieux mélange me direz-vous? Oui, mais le résultat est aussi merveilleux.

Douglas a su synthétiser toutes ces influences et nous présenter une musique raffinée, belle, tout comme la mer un soir de pleine lune. Piano électrique, basson et synthétiseur se fondent pour présenter une œuvre d'une grande richesse, empreinte d'intimité.

ENYA
Watermark, (D),(40 :05), WEA 43875, 1988, CD/K7

«Watermark», «Na Laetha Geal M'óige», «The Longships», «Cursum Perficio», «Storms in Africa», «Orinoco Flow».

Cet album est un autre véritable petit bijou. Tour de force d'innovation dans un monde de musique de consommation où souvent le contenant a plus d'importance que le contenu, *Watermark* a connu un succès immense (Orinoco Flow et son superbe video !). Qui a dit que la créativité n'était pas rentable ?

Enya, de son vrai nom Eithne Ni Bhraonain, est irlandaise. Elle débute avec le groupe Clannad qu'elle quitte pour, dira-t-elle, créer une musique qui n'a jamais été entendue, inventer un son qu'on ne puisse rattacher à rien de ce qui a déjà été fait.

Cet album, par ses sonorités d'un autre âge et ses chants angéliques, est comme une fleur qui pousse au milieu d'un bloc de ciment. Sublime enchantement pour l'oreille, les mille et une facettes de la voix de cette Irlandaise vous rejoindront au plus profond du cœur. À se procurer à tout prix.

N.B. : Il existe au Japon un CD d'Enya comprenant six pièces, soit «Orinoco Flow» et «Evening Falls...» du disque *Watermark* et quatre pièces inédites qui sont parues sur des faces B de 45 tours, en Europe: «Out of the Blue», «Morning Glory», «Smaoitim...» et «Oiche Chiun», une version irlandaise de

« Sainte Nuit ». À elles seules, ces deux dernières pièces, dans la même veine que « Na Laetha... », valent l'achat du disque.

Les références sont : ENYA 6 Tracks, (24 :03), WEA Japon 20P2-2725, 1988, CD.

ERNST, HERB

Dreamflight I, (R/M), (45 :34), Mystic Vision MV 11, 1986, CD/K7.

« Awakening Stars », « Liquid Indigo », « Voyage into Silence ».

Dreamflight II, (R/M), (50 :17), Mystic Vision MV 12, 1987, K7.

« Gaia's Song », « Midnight Ocean Reflections », « Shannon's Song ».

Dreamflight III, (R/M), (56 :05), Mystic Vision MV 13, 1990, K7.

« The Freedom of Forgiveness », « Song of the Soul », « The Enchanted Dance ».

Herb Ernst est un musicien fasciné par les effets vibratoires du son, de la lumière et des couleurs. Adepte de la métaphysique et de la méditation, il en vient à concevoir des musiques pour explorer en lui les états qu'il vit en méditation. La musique de la série *Dreamflight* est proche des ambiances de *Cristal Silence* de Coxon.

Musique intuitive, méditative, apaisante et réconfortante, cette série, conçue en trilogie, propose une musique d'une grande intensité. Elle amène l'auditeur à l'intérieur de lui et le met en contact avec ses émotions.

Dreamflight I est une musique qui induit un état de relaxation propice à la méditation.

Dreamflight II est le prolongement des états procurés par la précédente. *Dreamflight III* se veut la célébration de la rencontre intime avec soi-même.
La série *Dreamflight* est vraiment un complément de celles de Coxon (*Cristal Silence*), Roach (*Quiet Music*) et Kaur & Robertson (*Crimson*).

GABRIEL, PETER
Passion, (D), (67 :01), Realworld/Geffen 24206, 1989, CD/K7/LP.
« With His Love », « With His Love-Choir », « Bread and Wine ».

Bande sonore d'un film qui n'a plus besoin de présentation, *La dernière tentation du Christ,* la musique de Peter Gabriel n'est pas de la MNA selon certains critères conventionnels. Par ailleurs, dans la nouvelle direction que prend la MNA, *Passion* est un des exemples de synthèse culturelle les plus réussies.

Ancien chanteur de Genesis, à l'époque où le groupe avait un spectacle théâtral impressionnant, Peter Gabriel est reconnu comme un avant-gardiste. Ses albums rock ont toujours eu un son qui déconcertait le milieu bien pensant de l'industrie mais qui comblait ses fans.

Deuxième musique de film pour Gabriel — la première étant *Birdy,* comprenant des versions instrumentales de ses chansons et quelques inédits — *Passion* représente la lutte entre la divinité et l'humain dans le Christ. S'inspirant de musique traditionnelle du Pakistan, de Bali, de la Turquie, de l'Inde, de l'Égypte et de différentes régions africaines, l'album nous offre une musique d'une grande intensité, empreinte d'un profond respect et d'une authentique spiritualité.

Ce n'est pas évidemment un album facile mais laissez-vous apprivoiser par la musique, vous découvrirez de nouveaux paysages sonores.

GANDALF
The Universal Play, (D), (50:28), CBS 450372, 1987, CD/K7.

«Pure Love», «Gate to Infinity», «Ocean of Time», «Earthbound».

From Source to Sea, (D), (56:15), CBS 461026, 1988,CD/K7.

«Refuge Island», «Dreamscapes part 1», «From Source to Sea», «Lotus Blossom».

Inspiré par la version cinématographique du *Seigneur des Anneaux* de J.R.R. Tolkien, Heinz Strobl adoptera comme pseudonyme pour ses albums, le nom de Gandalf, en 1980.

Autrichien d'origine, sa musique est la réflexion de son cheminement personnel, de sa rencontre avec les philosophies orientales, et de son expérience de la musique de différentes cultures, styles et époques. Elle est aussi l'expression de son attitude envers l'humanité et de son respect de l'environnement.

Jouissant d'une grande réputation en Europe, *The Universal Play* est son huitième disque. Inspiré du livre d'Hermann Hesse, *Le jeu de perles de verre,* cet album apporte une transition dans la musique de Gandalf, qui prend des allures plus symphoniques alliant certains éléments de musique minimaliste à la Philip Glass ou Steve Reich. La ligne mélodique passant de moments méditatifs à des élans dynamiques, demeure une constante.

From Source to Sea continue dans la même veine que le précédent. Cette fois, le thème est celui de notre survie dans un monde de super technologie synthétique et, de ce fait, notre éloignement de la nature. Se servant justement de la nouvelle technologie des ordinateurs qui permettent d'échantillonner des sons de la nature et de les utiliser dans un contexte musical, Gandalf partage en musique ses émotions, ses craintes mais surtout ses espoirs envers une action personnelle et de notre responsabilité vis-à-vis notre environnement. Sa musique n'a cependant rien d'un discours philosophique contrairement à tant de musiciens. Sa musique est son langage et notre cœur y est fort sensible.

G.E.N.E.
Life is a Melody, (D), (45 :58/CD :59 :34), Chacra CHA 021, K7, Racket Records, RRK 715039, (CD), 1987, CD/K7.

« Good Morning Vibrations », « Melancholy of Sunset », « Blooming Kiss ».

G.E.N.E. signifie Grooving Electronic Natural Environment (Environnement Naturel Electronique vibrant (!). C'est aussi un concept musical créé par deux musiciennes canadiennes de studio, désireuses de conserver leur anonymat,

Crystal Binelley et Cleo de Mallio. On sait très peu de choses sur ce duo, qui n'accorde aucune entrevue ni ne présente aucun spectacle, bien qu'elles travaillent en collaboration pour leurs albums, avec le duo allemand Michael Weisser et Peter Mergener connus aussi sous le nom Software. Leur musique se veut une conscientisation du péril que subissent tous les écosystèmes de la planète.

Deuxième disque de G.E.N.E., *Life is a Melody* sait bien doser l'utilisation des sons de la nature aux sonorités des synthétiseurs, chose rare chez les utilisateurs de « Ti-Zoézo ». Par son lyrisme et sa beauté, cet album saura plaire non seulement aux initiés mais aussi à tous les néophytes de la MNA.

GREY, SYLVAN

Ice Flowers Melting, (D), (61 :18), Fortuna 17003, 1981, K7.

« Empty Moon », « D Minor Melody », « Rain Piece ».

Recurring Dream, (D), (53 :00), Fortuna 17063, 1989, CD/K7.

« Before Morning », « Recurring Dream », « Dream Beneath Winter Rain ».

Née au Kansas, d'une famille de musiciens, Sylvan Grey est attirée par la musique dès son plus jeune âge. Poète et journaliste, elle s'intéresse à la musique finlandaise, suite à la rédaction d'une thèse sur la langue, l'histoire et le folklore de ce peuple.

Durant son séjour en Finlande, un ami lui fait découvrir le Kantele, sorte de harpe finlandaise munie de 36 cordes de métal. Elle tombe amoureuse du son cristallin unique et de la résonance exceptionnelle de l'instrument. Après des études avec un maître du Kantele en Finlande, Grey retourne aux États-Unis et entreprend l'exploration des multiples possibilités de l'instrument.

Ses premières compositions, qu'on retrouve sur *Ice Flowers Melting,* reflètent ses impressions des pays nordiques et du silence des steppes. À elle seule, la pièce « Empty Moon », longue suite de 27 minutes 30, exprime toute l'émotion et la richesse de la musique de Grey et vaut l'achat du disque.

Recurring Dream, son deuxième album, poursuit la démarche déjà amorcée. Elle tire son inspiration cette fois-ci des visions de rêves éveillés que nous expérimentons tous à certains moments de la journée. *Recurring Dream* contient cette même sensualité et délicatesse qui particularisent la musique de Sylvan Grey.

HARTMAN, DAN

New Green / Clear Blue, (D), (56 :29), Private Music 2032, 1989, CD/K7.

« Soviet Nights », « Hope of no End ».

Premier disque à caractère « flottant » de Private Music, *New Green / Clear Blue* s'impose comme un excellent disque d'ambiance. Il faut dire que Hartman n'est pas non plus un nouveau venu. Transfuge du Edgar Winter Group et coproducteur et compositeur du célèbre « Living in America » de James Brown (thème de

Rocky IV) entre autres, il nous propose un disque tout en mélodies et en nuances. Dans la lignée de Harold Budd, Brian Eno et Vangelis, ce disque vous séduira !

HYKES, DAVID et THE HARMONIC CHOIR
Harmonic Meetings, (R/M), (62 :26), Celestial Harmonies CEL 013/14 1987, CD/K7.

«Brotherhood», «Kyrie Opening», «Foregather in the Name», «Halleluyah».

David Hykes est un artiste multidisciplinaire : cinéaste, chanteur, compositeur et pédagogue. Sa musique est inspirée par les traditions vocales du Tibet, de la Mongolie et de l'Europe médiévale, entre autres, du chant grégorien. En 1975, il fonde le Harmonic Choir, groupe «A cappella» qui utilise les harmoniques de la voix, c'est-à-dire qu'à partir d'un son fondamental, la voix développe plusieurs notes à la fois, produisant une véritable «masse orchestrale» de sonorités inouïes et envoûtantes (au Québec, Raôul Duguay, qui travaille le chant harmonique depuis une dizaine d'années, utilise cette forme de chant sur l'album *Nova*).

Travaillant ensemble depuis plusieurs années, leur maîtrise de ce nouveau langage sonore est à la fois complète et étonnante. Le résultat donne une musique lente, intériorisée, sereine, difficile à situer et d'une suprême beauté.

Le troisième disque du groupe, *Harmonic Meetings,* a été conçu au départ pour une exposition d'art itinérante de l'artiste Michele Zackheim, *The Tent of Meetings,* qui regroupait des collages et reproductions d'images religieuses. Inspiré par la musique sacrée et la puissance de ses mots, Hykes et le Harmonic Choir explorent le côté méditatif et contemplatif de la musique sociale, emportant l'auditeur dans des espaces empreints de mystère et de spiritualité.

L'album a été enregistré dans l'abbaye Le Thoronet, en France, ce qui ajoute à ces chants une dimension acoustique bien particulière. Pour les amants de chant grégorien, pour ceux qui veulent découvrir l'essence même du son, le premier parmi tous les instruments : la voix.

JON et VANGELIS
Private Collection, (D), (47 :40), Polydor 813 174, 1983, CD/K7.

«Horizon », «Italian Song », «Deborah », «And when the Night Comes ».

Passé inaperçu après le retentissant succès de *The Friends of MrCairo,* cet album de Jon et Vangelis est superbe. Il contient le lyrisme et la force d'*Antartica* où se marie la voix unique de Jon Anderson, anciennement chanteur du célèbre groupe rock progressif YES.

De nature intimiste, la première face se compose de courtes pièces dans le plus pur style Vangelis. Sur la face B, «Horizon », longue suite de 23 minutes sur le thème de la nécessité de «créer » la paix au fond et autour de soi, est sans contredit une des meilleures compositions du duo. «Horizon », par la simplicité et surtout la puissance de son message, est une vision de cette nouvelle pensée qui appelle au changement et à l'action!

Private Collection est un de ces disques dont l'écoute ne lasse pas. Pour les amateurs de Vangelis et ceux qui veulent le devenir.

KAUR, SINGH et ROBERTSON, KIM
Crimson Vol 1 : Guru Ram Das, (R/M), (77 :40), Invicible INV 301, 1986, K7.
Crimson Vol.5 : Mender Of Hearts, (R/M), (66 :28), Invicible INV 305,1987, K7.
Crimson Vol.6 : Ardas, (R/M), (65 :20), Invicible INV 306, 1987, K7.

N.B. : Chaque album est constitué d'une seule pièce d'une vingtaine de minutes, doublée et reprise sur la deuxième face de la cassette.

Avec les *Quiet Music* de Steve Roach, cette série est certainement une des plus magiques qu'ait produite la MNA! La harpe celtique de Robertson mariée à la voix sublime de Singh Kaur sont un ravissement pour l'oreille.

Basés sur la répétition de mantras, chacun des albums de la série nous invite à un état d'âme différent. Des trois albums, *Ardas* s'avère le plus beau et le plus touchant. La voix unique et les harmonies de Singh Kaur alliées à la magie de la harpe de Robertson nous offrent des musiques en toute simplicité et sans aucune prétention!

KITARO

Oasis, (D), (49 :07), Polydor 815 340, 1979, CD/K7.

« Aqua », « Rising Sun », « Shimmering Horizon », « Moonlight », « Oasis ».

Silk Road 1, (D), (42 :32), Polydor PDS 16507, 1980, CD/K7.

« Silk Road Theme », « Silk Road Fantasy », « Flying Celestial Nymphs », « Everlasting Road ».

Silk Road 2, (D), (43 :05), Polydor PDS 16508, 1980, CD/K7.

« Takla Makan Desert », « Silver Moon », « Dawning », « Peace », « Magical Sand Dance », « Time Travel ».

Tunhuang, (D), (42 :48), Polydor 811 696, 1981, CD/K7.

« Pilgrimage II », « Fata Morgana », « Lord of the Sand », « Lord of the Wind », « Tao ».

Queen Millenia (Millenia), (D), (42 :32), Geffen 24084, 1982, CD/K7.

« Prologue/Space Queen », « Cosmic Love », « Maboroshi », « Epilogue ».

Ten Years, (D), (94 :30), Geffen 24207 (double), 1988, CD/K7.

« Dawn/Rising Sun », « Shimmering Moon », « Earth Born », « Caravansary ».

Masanori Takahashi a reçu le surnom de Kitaro — qui signifie en japonais « homme aimant et joyeux » — à l'école alors qu'il était encore adolescent. D'abord bassiste et claviériste dans des orchestres étudiants, où il jouait du Rythm & Blues, du Beatles et plus particulièrement du Otis Redding, il en vient à la musique électronique suite à sa rencontre avec Klaus Schulze, lors d'un voyage en Allemagne en 1972.

Après avoir appris de Schulze, non pas comment jouer du synthétiseur mais plutôt comment transposer des impressions et des émotions en musique, il s'emploie à exprimer la nature, l'émotion, l'esprit et la culture du peuple japonais.

Il s'ensuit une série de voyages au Japon, au Népal, en Thaïlande et en d'autres contrées d'Asie où Kitaro recueillera des idées, de l'inspiration et l'acquisition de divers instruments.

Oasis est le titre de son troisième disque et est considéré comme un des classiques de la MNA. La sensibilité et la richesse des atmosphères de l'Orient mêlées aux accents occidentaux des mélodies apportent une dimension musicale inédite. *Oasis* est une célébration de la nature. Comme il le disait à l'époque: «La nature est dans le cœur, la musique est dans la nature.»

Silk Road 1 et *2* sont la trame musicale de la série télévisée japonaise du même nom, première collaboration sino-japonaise. C'est aussi avec cette série d'albums — Kitaro produira cinq albums extraits de la série *Silk Road* — qu'il sortira de l'ombre et sera propulsé vers la gloire.

Tunhuang est le troisième de la série *Silk Road* et sans aucun doute son chef-d'œuvre. À la différence de *Silk Road 1* et *2,* ce disque n'est pas un échantillonnage de musiques extraites de la série, mais a été plutôt conçu de façon plus homogène. Si vous n'aviez qu'un disque de Kitaro à vous procurer, je vous recommande celui-ci.

Millennia est la trame musicale du dessin animé de science-fiction japonais connu ici sous le nom de «Capitaine Flamme» (!). Dans la même lignée musicale que *Tunhuang, Millennia* est cependant plus romantique et mélodieux.

Ten Years est une compilation parue en 1988. Plutôt que de nous présenter bêtement les mêmes versions — c'est quand même sa sixième compilation —, il a remixé les pièces et nous présente trois nouvelles compositions. Il faut dire que les derniers disques de Kitaro devenaient redondants. Après *Millennia,* sa musique avait perdu de sa magie, on sentait le réchauffé, la facilité. Ce disque double apporte une dimension plus symphonique. Dans de nouveaux arrangements, *Ten Years* nous ramène aux meilleurs moments d'*Oasis, Tunhuang* et *Silk Road 1* et *2*. C'est un merveilleux départ pour ceux qui veulent découvrir la musique de Kitaro.

LINCH, RAY

Deep Breakfast, (E/D), (40:23), Music West MW102, 1986, CD/K7.

« The Oh of Pleasure », « Falling in the Garden », « Rythm in the Pews », « Tiny Geometries ».

No Blue Thing, (E/D), (39:25), Music West MW103, 1989, CD/K7.

« Clouds below your Knees », « No Blue Thing », « The True Spirit of Mom & Dad ».

Linch est un musicien de formation classique. Après avoir étudié la guitare classique à Barcelone et la composition à l'Université du Texas, il est invité à se joindre au Renaissance Quartet de New York, en tant que luthiste. Puis, après sept ans de concerts, il quitte tout pour entreprendre une période de réflexion. Pendant ce temps, il expérimente avec les synthétiseurs et leur technologie. Il enregistrera un premier disque, *The Sky of Mind* qui connaîtra un succès mitigé. C'est avec son deuxième disque, *Deep Breakfast* qu'il connaîtra la gloire — cet album se vendra à plus de 600 000 exemplaires ! Sans être un disque révolutionnaire, *Deep Breakfast* offre une musique à saveur pop et rafraîchissante.

Le troisième disque de ce musicien californien, *No Blue Thing* saura ravir ses fans. Déjà, depuis sa sortie, *No Blue Thing* est en voie de répéter le succès commercial du précédent. Combinant le classique, l'acoustique et des éléments pop, Lynch crée une musique qui sait séduire.

N.B. Pour les amateurs de Ray Linch, sa compagnie de disques nous présente ses trois albums CD dans un coffret. C'est un petit truc publicitaire emprunté au rock, sans cependant fournir d'informations sur Lynch.

MARK, JON
The Standing Stones of Callanish, (R/M), (61 :39), Kuckuck 11082, 1988, CD/K7.
«Chloe's Day», «The Eye of the Hawk», «The Leaving», «The Standing Stones of Callanish», «Autumn Leaves Fall One by One», «A Winter's Story by the Firelight».

Né à Cornwall, en Angleterre, Jon Mark habite maintenant la Nouvelle-Zélande. Dans les années 60, il est guitariste de session à Londres pour des groupes tels les Beatles, les Rolling Stones, les Yardbirds et Jeff Beck. En 1970, il fonde le groupe Mark-Almond.

Il nous présente son premier disque, résultat de sa fascination pour la mythologie et la musique celte. Basé sur la légende des pierres géantes de Callanish (semblables à celles de Stonehenge) sur les côtes du nord-ouest de l'Écosse, (pierres érigées par le peuple celte, il y a plus de 4 000 ans), ce disque nous présente une musique aux allures symphoniques, évocatrice de mystères. Cet album mélodieux saura plaire à un grand nombre d'auditeurs. Tout en subtilités, *The Standing Stones of Callanish* nous pénètre et nous envoûte.

C'est un des grands disques des cinq dernières années. À se procurer absolument!

O'HEARN, PATRICK

Ancient Dreams, (D), (32:41), Private Music 1201, 1985, CD/K7.

«At First Light», «Ancient Dreams», «Unusual Climate», «Last Performance».

Between Two Worlds, (E), (48:14), Private Music 2017, 1987, CD/K7.

«Rain Maker», «87 Dreams of a Lifetime», «Gentle was the Night», «Forever the Optimist», «Between Two Worlds».

Eldorado, (E), (45:51), Private Music 2054, 1989, CD/K7.

«Delicate», «Chattahoochee Field Day», «Amazon Waltz», «One Eyed Jacks», «The Illusionist», «There's Always Tomorrow».

O'Hearn est ce qu'on pourrait appeler un innovateur. Par ses origines rock et progressive — il a été bassiste/synthésiste pour Missing Persons et Frank Zappa — il a su donner à la MNA dynamisme et rythme, tout en créant une nouvelle approche dans l'utilisation des percussions.

À l'encontre de la majorité des MNA qui utilise la percussion le plus souvent à la façon d'un Phil Collins ou même encore d'un Guns & Roses, O'Hearn travaille sur la subtilité et les textures musicales.

Ancient Dreams, son premier disque, sans concession commerciale et d'une originalité qui reléguait Tangerine Dream au rang de grand-père de la musique électronique, offre une musique où la rythmique se fait mélodie.

Avec *Between Two Worlds,* O'Hearn ré-invente l'utilisation du synthétiseur en tant qu'instrument pouvant apporter une dimension atmosphérique à la musique tout en conservant une allure dynamique sans tomber dans la banalité. Plus mélodieux et plus structuré que *Ancient Dreams, Between Two Worlds* influencera une majorité de musiciens américains qui s'ingénieront à copier le son plutôt qu'à devenir créateurs eux-mêmes. Les amateurs de Tangerine Dream qui ont été déçus par leurs derniers albums voudront se procurer *Between Two Worlds.*

Eldorado, son quatrième et dernier album, est vraiment l'un des meilleurs disques rythmés de MNA. Devant cette nouvelle tendance de l'industrie du disque à nous présenter une MNA dotée d'un rythme souvent calqué sur le rock, la musique de O'Hearn nous offre une dimension dynamique d'une subtilité que la radio ne connaît plus.

Inspiré par les rythmes sud-américains et les modulations du Moyen-Orient, *Eldorado* transcende la notion de rythme par ses silences et l'utilisation parcimonieuse mais efficace des percussions. Vous aurez beaucoup de plaisir à danser sur cette musique.

À propos, évitez de perdre votre argent sur *Mix-Up,* l'album remix « New Age Dance » ; c'est un autre exemple bassement mercantile de l'industrie américaine du disque associée à la MNA.

PARSONS, DAVID
Yatra, (D/M), (CD :123 :43/K7 :88 :11), Fortuna 18072, 1990, CD/K7.
« Varuna Ghat », « Earth Mother », « Manasarovar », « Abode of Shiva », « Assi ».

David Parsons est l'un des compositeurs néo-zélandais les plus en demande (musique pour la radio, la télévision et l'industrie du film). Il possède également l'un des plus impressionnants studio de musique électronique du pays.

Expert en musique indienne et compositeur de plusieurs pièces pour instruments indiens à cordes et percussions, son style est un heureux mélange de musique indienne et Nouvel Âge. Parsons allie le modernisme de la musique occidentale et sa technologie à l'exotisme de l'Orient.

Yatra, son tout dernier disque, explore la musique de l'Inde et du Tibet. On sait toute la fascination qu'exerce sur nous ces régions où le mysticisme fait partie du quotidien. Inspiré par la majesté et le symbolisme de ces lieux, Parsons nous livre en 123 minutes (version CD), les impressions ressenties lors de son dernier voyage dans ces régions, au cœur de ces légendes, d'où le titre, qui signifie « Voyage » en sanskrit.

Nous transportant de la place du marché jusqu'aux sommets des montagnes, ce disque, où la fébrilité de la vie quotidienne orientale se mêle aux réflexions méditatives de ses habitants, est d'une grande beauté.

RAPHAEL

Music to Disappear In, (D), (53 :59), Hearts of Space HS 11005, 1988, CD/K7.

«Disappearing Into You», «In Paradiso», «Serpent», «Spirit Guides», «Silence».

Raphael est un musicien de la région de San Francisco. Comme plusieurs de ses comtemporains, il a touché à différents styles : religieux, rock, country, gypsie et scénique. De plus, il a travaillé comme musicien au Esalem Institute avec John Lilly, Anna Halprin, Gabrielle Roth, Milton Trager et plusieurs autres qui ont contribué à sa vision spéciale de la musique.

Music to Disappear In nous le présente dans deux styles particuliers : orchestration angélique, sublime, et ambiances primitives, presque transfigurées. Curieux mélange direz-vous ? Romantique, la face A propose des pièces pour piano et des orchestrations pour chœurs éthérés. La face B se compose de musiques alliant les influences musicales occidentales aux rythmes primitifs et tribaux. Cette musique s'installe en vous et, soudainement, vous disparaissez en elle. Essayez pour voir (entendre) !

RICH, ROBERT

Rainforest, (D), (53 :11), Hearts of Space HS 11014, 1989, CD/K7.

«Mbira», «The Forest Dreams of Bach», «Veil of Mist», «Drum Song».

Dédié à la forêt de l'Amazonie, cet album surprend par son innovation et l'utilisation de la polyrythmie ainsi que de l'intonation juste. Percussionniste ingénieux, Rich est un expérimentateur. Intéressé par les états de transe et de rêves lucides, il est devenu célèbre dans la région de San Francisco pour ses différents concerts donnés dans les dortoirs des environs.

Rainforest est le résultat de toutes ses années de recherche et d'expérimentation. Tout en subtilité, sa musique vous surprendra et vous envoûtera. C'est un des albums les plus innovateurs de 1989.

RICH, ROBERT et ROACH, STEVE
Strata, (D), (59 :07), Hearts of Space HS 11019, 1990, CD/K7.

« Fearless », « Mica », « Forever », « La Luna », « Iguana », « Remembrance ».

Strata est le fruit d'une collaboration qui date bien avant la participation de Rich à *Dreamtime Return.* L'idée de départ était de réunir deux styles similaires mais au langage différent. Rich et Roach travaillent avec les rythmes et les sons dans une alternance harmonieuse.

Le concept de l'album est la recherche d'une nouvelle perception du temps et de l'espace procurée par les sons dans l'inconscient. *Strata* réfère aux couches successives fossilisées dans les rochers au fil de millénaires. Cette musique permet de faire ressurgir des émotions liées à des événements enfouis dans la mémoire collective et que l'on croyait oubliés à jamais.

Strata n'est pas de prime abord un album facile à écouter. Plus près de la musique contemporaine, il se laisse cependant apprivoiser pour devenir une expérience unique à vivre.

ROACH, STEVE

Structures from Silence, (R/M), (58 :50), Fortuna 17024, 1984, CD/K7.

« Structures from Silence », « Quiet Friend », « Reflections in Suspension ».

Quiet Music 1, (R/M), (61 :55), Fortuna 17043, 1986, K7.

« The Green Place part 1, part 2 ».

Quiet Music 2, (R/M), (60 :31/CD71 :58), Fortuna 17044, 1986, CD/K7.

« Air and Light », « A Few More Moments », « See Things ».

Quiet Music 3, (R/M), (59 :30), Fortuna 17045, 1986, K7.

« Sleep and Dreaming », « Dreaming and Sleep ».

Dreamtime Return, (R/M), (89 :38/CD :127.44), Fortuna 18055, 1988, CD/K7.

« The Other Side », « Magnificent Gallery », « The Return », « Towards the Dream », « A Circular Ceremony ».

Steve Roach est non seulement un des compositeurs les plus innovateurs de la musique du Nouvel Âge aux États-Unis, il en est l'un de ses chefs de file. Né à San Diego, en Californie, près du désert, il baignera dans ces espaces durant toute sa jeunesse. Dernièrement, il s'installait aux portes du désert, à Tucson en Arizona.

Influencé par l'infini du désert, non seulement d'une manière métaphysique et spirituelle qui incite à l'intériorisation, mais aussi physique et corporelle, c'est-à-dire dans sa respiration même. Sa musique est, en quelque sorte, une méditation sur la nudité de l'être, un miroir sonore des réflexions d'une entité en constante recherche.

Structures from Silence est, sans contredit, une œuvre majeure et un des disques les plus importants de la discographie de base de la MNA. Musique de silence, intimiste, à la façon d'une respiration profonde, elle nous amène à l'intérieur de soi et rejoint l'essentiel.

Quiet Music est une série composée en harmonie avec le silence intérieur. C'est la suite spirituelle de *Structures from Silence* ; elle explore des états d'âme et ambiances différents.

Quiet Music 1 reflète le silence dans la nature. *Quiet Music 2* se veut une réflexion sur la solitude du désert. (Il est à noter que la version CD comprend un extrait de *QM 3*). *Quiet Music 3,* enfin, se situe à la limite du sommeil et de l'éveil. De toutes les musiques d'ambiance que nous propose la MNA, cette série est certainement la plus importante et, surtout, la plus riche musicalement.

Dreamtime Return est le fruit de trois ans de travail et de voyages de Roach en Australie, au pays du *Dreamtime* — légende sur l'origine des aborigènes australiens. Ses voyages l'ont mené du sud de la Californie à l'Australie du Nord.

Dreamtime Return est l'œuvre la plus achevée et la plus novatrice de Roach. Album de synchronicité, s'il en est un, plusieurs

« hasards » ont fait de cet album double un disque plein de mystère et de magie. L'étape la plus importante pour Roach fut sa rencontre avec David Stahl, qui lui a fait part de son projet d'un film documentaire sur les aborigènes australiens après avoir entendu *Structures from Silence* à la radio. À la même époque, Steve avait déjà composé près d'une heure de musique sur ce thème.

Dreamtime Return nous présente une musique impressionnante, mystérieuse, sans compromis. C'est l'une des plus importantes du répertoire MNA. D'ailleurs, aux États-Unis, l'album s'est vu décerner une note de 10/10 par la critique spécialisée et a été sélectionné comme un des dix meilleurs albums de la décennie 80, par le magazine américain *Pulse*.

N.B. la version CD contient 38 minutes supplémentaires, soit des versions plus longues et deux pièces inédites.

ROACH, STEVE et BRAHENY, KEVIN
Western Spaces, (R/M), (68 :51), Fortuna 17051, 1990, CD/K7.

« The Breathing Stone », « Desert Prayer », « New Moon at Forbidden Mesa », « The Slow Turning », « Western Spaces », « Desert Walkabout ».

Cet album est une réédition d'une version qui comprenait à l'origine, outre Roach et Braheny, Richard Burmer. D'ailleurs, sur cette première version (IC 87.101), encore disponible chez certains disquaires, vous trouvez « Across the View » de Burmer, un chef-d'œuvre et sûrement une des belles pièces du répertoire MNA.

Dédiée au désert du sud des États-Unis, la musique de *Western Spaces* est mystérieuse et évocatrice des étendues arides et des visions de l'infini, de solitude et de plénitude que procure le désert.

Collaborateurs de longue date, Roach et Braheny ont voulu mettre en musique l'essence même du désert, captée à travers leurs expériences personnelles.

ROACH, STEVE/BRAHENY, KEVIN/
STEARNS, MICHAEL
Desert Solitaire, (D/M), (65 :12), Fortuna 17070, 1989, CD/K7.

« Flatlands », « Cloud of Promise », « From the Heart of Darkness », « Desert Solitaire », « Labyrinth ».

Suite spirituelle de *Western Spaces, Desert Solitaire* est toutefois beaucoup plus expérimentale sans être pourtant hermétique. Mystérieuse, silencieuse, profondément intérieure, la musique de cet album, fruit de la rencontre de trois grands musiciens inspirés par leur connaissance des grands espaces, n'est pas sans rappeler les expériences des états altérés de conscience de l'écrivain Carlos Castaneda avec son maître, Don Juan. Fait intéressant, les déserts dont se sont inspirés Roach, Braheny et Stearns sont les mêmes que ceux décrits par Castaneda.

Définitivement, c'est un des grands albums de la MNA.

ROBERTSON, KIM

Wind Shadows 2, (D), (41:50), Invicible INV 079, 1987, CD/K7.

«Mon Ami», «Foggy Dew», «Star of the County Down», «Castle of Dromore», «Bridget Cruise».

Inspirée par des œuvres pour harpes de compositeurs folk irlandais et écossais, Kim Robertson propose une musique toute empreinte de délicatesse et de romantisme.

Connue pour son travail avec Singh Kaur (*Guru Ram Das, Ardas* et *Mender of Hearts*), la musique de Robertson se rapproche de celles d'Alan Stivell et Patrick Ball. Pour les amants de musique celtique.

SCHMOELLING, JOHANNES

Wuivend Riet, (E), (38:48), Erdenklang IRS 971.160, 1987, CD/K7.

«Matjora is still Alive», «Zeit», «Kneeplay nº.9».

Schmoelling est Allemand. Après avoir touché l'orgue, il se familiarise avec l'acoustique et les effets sons-lumières. Il en résultera une nouvelle dimension dans sa conception de la musique.

De 1979 à 1985, il fait partie de Tangerine Dream (*Tangram, Exit, White Eagle, Hyperborea, Firestarter, Wavelenght, Flashpoint, Poland, Le Parc, Pergamon* et *Legend*).

Sa participation au sein de Tangerine Dream et notamment à l'album *Tangram* leur apporte un nouveau souffle. Il quitte cependant le groupe, insatisfait de leur jeu en concert lequel devient de plus en plus informatisé, laissant peu de place à la créativité et à l'improvisation.

En 1985, il enregistre *Wuivend Riet,* œuvre ambitieuse incorporant l'utilisation des ordinateurs créant une dimension rythmique plus naturelle que la majorité des ensembles qui utilisent les synthétiseurs.

La première face, composée de courtes pièces, est dynamique. La seconde est plus expérimentale et comprend une longue suite de musique programmée. Ici, les sons de la nature sont partie intégrante de la composition.

Pour les fans déçus par les derniers albums de Tangerine Dream et ceux qui aiment la nouveauté.

SERRIE, JONN

And the Stars go with you, (R), (40 :41), Miramar MP 2001, 1987, CD/K7.

« Gentle ; The Night », « The Far River », « And the Stars Go with You ».

Flightpath, (D), (47 :05), Miramar MP 2002, 1989, CD/K7.

« Muroc », « Sky Safari », « Glyder », « Deep Starship ».

Tingri, (D), (45 :07), Miramar MP 2003, 1990, CD/K7.

« Winter's Chapel », « Remembrance », « Annie by the Sea », « Tingri Maiden », « Tingri ».

Considéré depuis dix ans comme un des chefs de file dans la composition de musiques pour planétariums, Jonn Serrie a travaillé avec, entre autres, Charlton Heston, Vincent Price et Leonard Nimoy pour les plus prestigieux planétariums du monde. Comme il dit : « Composer de la musique pour les planétariums m'a permis de percevoir une autre réalité. Ces sons et ce style seront toujours présents dans ma musique ».

And the Stars go with You est le résultat de toutes ses expériences. Ce premier disque de Serrie est un petit bijou. Rarement ai-je été autant séduit par une musique, et je retrouve encore, à chaque écoute, toute la magie, la richesse des mélodies et des textures musicales. Si vous rêvez de musique d'étoiles, ce disque — un classique de la MNA — est pour vous. Vous prendrez plaisir à vous imaginer des paysages ou des voyages au pays des étoiles.

Flightpath, son second album, est plus dynamique. Après les étoiles, Serrie nous convie dans un environnement où l'enthousiasme et l'excitation des manœuvres aériennes à hautes vitesses côtoient la dimension éthérée de l'exploration spatiale. Sa musique demeure tout autant séduisante, intimiste.

Si la première face se fait plus dynamique, on retrouve cependant sur la seconde, toute la dimension cosmique et céleste de son premier disque. La pièce « Muroc » vaut à elle seule l'achat du disque.

Tingri installe définitivement Serrie comme un des compositeurs importants de la MNA, au même titre que Vangelis, Constance Demby et Steve Roach.

Serrie s'est inspiré de la légende voulant que de grands sages vivaient dans un petit village du Tibet nommé Tingri vers 1150 avant J.- C.

Un des meilleurs disques parus en 1990, *Tingri* réunit la dimension spatiale si particulière à Serrie, à son côté lyrique et romantique. Il est fort à parier que cet album deviendra un de vos préférés.

STEARNS, MICHAEL
Encounter, (D/M), (52 :42), Hearts of Space 11008, 1988, CD/K7.

« Encounter », « Craft », « Star Dreams », « Within », « Alien Shore », « Procession », « On the Way ».

Stearns est un des pionniers de la MNA en Californie et aussi, tout comme Roach, un de ses des chefs de file. Son approche très particulière du synthétiseur en fait l'un des grands créateurs dans ce domaine. Ses bandes sonores pour le cinéma IMAX (Chronos) et ses albums précédents, sans compter sa collaboration à l'album *Desert Solitaire* avec Roach et Braheny, témoignent de cette créativité.

Encounter ne fait pas exception à la règle. Cet album tout à fait magique (vous comprendrez en voyant la pochette), saura vous séduire. Pour mieux comprendre, imaginez qu'un soir d'été, vous êtes dehors, dans un grand champ. Vous regardez les étoiles et, soudain, vous sentez une présence dans le ciel. Puis, un OVNI (!) vous apparaît, vous y montez, voyagez aux confins de l'espace, et revenez.

On rêve tous au fond d'une de ces rencontres du troisième type. Cet album vous permet ainsi de vivre votre propre « Close Encounter ». Dépaysement garanti. À découvrir et, surtout, à vivre !

STIVELL, ALAN
Harpes du Nouvel Âge, (D), (35 :29), Rounder 3094, 1986, CD/K7.

« Tremen'Ra pep Tra », « Pedenn ewid Breizh », « Rory Dall's Love Tune », « Luskellerezh ».

Alan Stivell n'a plus besoin de présentation chez nous. Véritable barde, il nous a fait connaître la harpe celtique en 1974 avec son disque *Renaissance de la Harpe Celtique* (ré-édité sous le titre *Celtic Harp*/Area-Polydor 830 459), les spectacles de Stivell et son groupe étaient de véritables fêtes avec ses danses, ses chansons et ses pièces exécutées à la harpe, en solo.

Harpes du Nouvel Âge, son quinzième album, constitue une suite spirituelle de *Renaissance...,* et est dédié entièrement à la harpe solo. Sur cet enregistrement numérique, ce qui donne une sonorité cristalline unique, Stivell utilise quatre types de harpes différentes, soit acoustique aux cordes de nylon, électro-acoustique avec cordes de métal, électrique et, enfin, une harpe construite par son père en 1953.

La musique de ce nouveau disque tire son inspiration dans les anciens temples de l'Eurasie. Musique sacrée de la Bretagne, elle envoûte et nous transporte dans une autre dimension. Paysages sonores à découvrir !

VANGELIS

L'Apocalypse des Animaux, (D),(35 :29), Polydor 831 503, 1973, CD/K7.

«La Petite Fille de la Mer», «La Mer Recommencée», «Création du Monde», «La Mort du Loup».

China, (D), (41 :36), Polydor 813 653, 1979, CD/K7.

«Chung Kuo», «The Tao of Love», «The Little Fete», «Himalaya», «Summit».

Opéra Sauvage, (D), (43 :07), Polydor 829 663, 1979, CD/K7.

«Rêve», «Irlande», «Hymne», «L'Enfant», «Chromatique».

Chariots of Fire, (D), (42 :10), Polydor 800 020, 1981, CD/K7.

«Chariots of Fire», «Abraham's Theme», «Eric's Theme», «Titles».

Antartica, (D), (45 :35), Polydor 815 732, 1983, CD/K7.

«Theme from Antartica», «Antartica Echœs», «Memory of Antartica», «Deliverance».

Soil Festivities, (D), (48 :23), Polydor 823 396, 1984, CD/K7.

«Movement 1», «Movement 2», «Movement 5».

Direct, (E), (63 :24), Arista AR-8545, 1988, CD/K7.

«Message», «Elsewhere», «The Oracle of Apollo», «Glorianna» (Hymne à la Femme), «Ave», «First Approach», «Intergalactic Radio Station».

Themes, (D), (58 :37/CD64 :00), Deutsche Grammophon 839518, 1989, CD/K7/LP.

« Main Theme from *Missing* », « Closing Theme from *Mutiny on the Bounty,* « End Titles from *Blade Runner* », « Love Theme from *Blade Runner* ».

D'origine grecque, Vangelis, de son vrai nom Evangelos Papathanassiou, est un des grands compositeurs de notre époque. Pionnier d'un style qui fera école, sa musique dépasse les frontières du temps. Même 17 ans plus tard, *L'Apocalypse des Animaux* demeure une œuvre remarquable qui n'a rien à envier à plusieurs albums MNA présentés ces dernières années.

Musique créée pour une série télévisée de documentaires sur la vie des animaux à la demande de son grand ami Frédéric Rossif, la musique de ce disque révèle une grande sensibilité.

China allait être considéré par la critique comme un chef-d'œuvre. Pont musical entre l'Orient et l'Occident, la musique est fascinante et représente l'essence même de la culture chinoise. L'utilisation d'authentiques instruments chinois couplée aux synthétiseurs apporte à la musique une dimension d'éternité. C'est un des grands albums du répertoire Nouvel Âge.

Opéra Sauvage, une autre série télévisée de son ami Rossif, nous présente une musique plus orchestrée, représentative du « style » Vangelis. Parmi les pièces de l'album, « Rêve », un long blues au piano électrique, démontre que la force musicale de Vangelis a transcendé la forme musicale ancienne, le « blues », en lui donnant une allure de dimension cosmique !

Chariots of Fire est l'album qui amena à Vangelis la gloire internationale. Gagnant d'un Grammy Awards pour la meilleure musique de film en 1982, Vangelis nous présente les personnages du film dans leur dimension psychologique. Sur la seconde face, il reprend les différents thèmes du film et les développe en une longue suite orchestrée. Cet album se vendra à plusieurs millions d'exemplaires et sera une introduction à la MNA pour une grande majorité de nouveaux adeptes.

Antartica est la trame musicale d'un film japonais, qui connaîtra au Japon, un succès plus considérable que « E.T. ». Majestueux et grandiose, *Antartica* demeure sans contredit le chef-d'œuvre de Vangelis.

Impressions de la nature, réflexion musicale sur le processus de la vie à la surface et à l'intérieur de la terre, *Soil Festivities* continue dans la même veine musicale qu'*Antartica* tout en donnant à sa musique une dimension symphonique.

Se servant de l'ordinateur pour transformer des sons de la nature en sons musicaux, Vangelis a une approche de la musique comparable à un grand poème. Le premier mouvement, répétitif, confirme son grand talent d'orchestrateur. Variée dans son ensemble, la musique de *Soil Festivities* amène une nouvelle dimension dans la musique de Vangelis et l'établit comme un des grands compositeurs du XXe siècle.

Direct nous présente une musique différente, surprenante, énergique et pleine de fougue. Du rock au classique, en passant par le pop et le symphonique, *Direct* est le premier d'une série d'albums explorant des sons et des styles musicaux différents, allant du symphonique aux musiques ethniques.

Désireux de raccourcir la distance entre l'inspiration et l'enregistrement final, Vangelis a développé, au cours des années, une technique particulière qui lui permet de composer, jouer et enregistrer sans l'aide de préprogrammation. *Direct* est le résultat de cette technique personnelle. À noter que les versions CD et K7 contiennent deux pièces inédites.

Themes est une compilation. On y retrouve cinq pièces inédites, extraites de musiques de film non parues sur disque auparavant et fort recherchées par les amateurs de Vangelis.

Du film *Blade Runner,* on retrouve le thème de la scène d'amour avec la réplicante et celui de fermeture ; du film *Missing,* le thème principal, sûrement une des plus belles musiques de Vangelis et, enfin, de *Mutiny on the Bounty,* les thèmes d'ouverture et de fermeture. Les autres pièces sont : « L'Enfant » et « Hymn » (*Opéra Sauvage*), « Chung Kuo » et « Tao of Love » (*China*), « Theme from Antartica » (*Antartica*), « Memories of Green » (*See You Later,* aussi extraite du film *Blade Runner*), « La petite fille de la mer » (*L'Apocalypse des Animaux*), « Five Circles (CD uniquement) » et « Titles » (*Chariots of Fire*).

VOLLENWEIDER, ANDREAS

Caverna Magica, (E/D), (33 :24), CBS MK 37827, 1983, CD/K7/LP.

«Caverna Magica», «BellaDonna», «Con Chiglia; Geastrum Coronatum; La Paix Verde».

Down to the Moon, (E/D), (36:21), CBS MK 42255, 1986, CD/K7/LP.

«Drown in Pale Light», «The Secret», «The Candle and Love», «Moon Dance», «Down to the Moon», «Night Fire Dance».

Suisse d'origine, Andreas Vollenweider a surpris les amateurs de musique et l'industrie du disque par la fraîcheur de sa musique et surtout par l'utilisation d'un instrument rarement joué en solo dans un tel contexte: la harpe.

Ayant développé un style tout à fait particulier, sa musique fait appel à l'imaginaire, à l'enfant sommeillant au fond de nous. C'est aussi une musique qui porte à la fête.

Combinant des influences latines, sud-américaines et de jazz, *Caverna Magica,* deuxième disque et responsable du succès immense de Vollenweider, est une musique d'une spontanéité et d'une joie qu'on connaît rarement en musique MNA.

Refusant l'étiquette «Nouvel Âge», à cause dira-t-il, de toute la récupération commerciale autour du mouvement, Vollenweider innove en repoussant les limites des barrières conventionnelles imposées par une industrie plus intéressée à l'argent qu'à la créativité.

À ce titre, l'album sera dans les hit-parades pop rock, jazz et même classique! C'est le type de musique qu'on écoute pendant des heures sans se lasser. *Caverna Magica* a été sélectionné parmi les dix albums de la décennie 80, par le magazine américain *Pulse* !

Down to the Moon, son quatrième album, est plus diversifié que les précédents. Ayant pour thème la lune et ses influences, même subtiles sur nos émotions, la musique explore, tant par l'instrumentation que les influences, l'essence de l'Orient, de l'Amérique latine, de l'Afrique et de l'Asie. La richesse des mélodies, le dynamisme et surtout la grande douceur qui s'y dégagent font de cet album le meilleur de Vollenweider et un des grands disques actuels de MNA.

QUATRIÈME PARTIE

INDEX

INDEX DE MNA SELON LES THÈMES

Afin de répondre au besoin de ceux qui cherchent une MNA dans un but précis, nous avons conçu pour vous un index où chaque disque commenté dans la chronique « Les indispensables » est répertorié selon des thèmes particuliers, soit : la musique pour la relaxation, la détente ou le travail, le massage et la méditation. Certains albums se retrouveront dans plusieurs catégories à la fois. Chacune des catégories est précédée d'un commentaire sur la nature de l'utilisation de la section. Si vous désirez d'autres catégories, il nous fera plaisir d'en tenir compte dans nos prochaines parutions.

De plus, nous avons conçu une section spéciale pour la conduite automobile, classifiée pour différents moments de la journée.

Selon vos préférences et goûts personnels, il se peut que vous classiez ces choix musicaux selon des critères différents des nôtres. Ces listes ne sont que des guides. L'expérience de l'écoute musicale étant personnelle, il vous appartient finalement de déterminer vos propres listes.

MUSIQUE DE RELAXATION (R)

Pour être efficace, une musique de relaxation ne doit comporter aucune variation sonore, de timbre et d'intensité et se situer de préférence dans le registre des basses fréquences. Par sa pulsation sonore lente (entre 45 et 60 mesures par minute), elle doit conduire le sujet à un état de repos complet et permettre un apaisement de la musculature. Certaines musiques induisent en état alpha et même thêta.

En tenant compte de ces notions, vous serez à même de constater que la majorité des musiques disponibles sur le marché et présentées comme relaxation, ne sont en fait, que de la musique de détente. À noter, que les musiques proposées ci-dessous peuvent être également utilisées comme musiques de détente.

Aeoliah : *Love in the Wind.*
Berthiaume, Daniel : *L'Arbre de Vie.*
Berthiaume, Daniel : *La Voie Intérieure.*
Braheny, Kevin : *The Way Home.*
Coxon, Robert Haig : *Cristal Silence I.*
Coyote Oldman : *Thunder Chord.*
Danna, Michael et Clément, Tim : *Summerland.*
Demby, Constance : *Novus Magnificat, Set Free.* (CD :6,7,8,11).
Duguay, Raôul et Robidoux, Michel : *Nova.* (CD :1,2,4).
Ernst, Herb : *Dreamflight I, II, III.*
Kaur, Singh et Robertson, Kim : *Guru Ram Das, Ardas, Mender of Hearts*

Kiraly, François/Crevier, Charles/
Crevier, Jean-François : *Music from the Sky.*
Mark, Jon : *The Standing Stones of Callanish.*
Roach, Steve : *Sructures from Silence, Quiet Music 1,2,3.*
Roach, Steve : *Dreamtime Return.* (CD1 :5 à 9/ CD2-1,2,5).
Roach, Steve et Braheny, Kevin : *Western Spaces.*
Serrie, Jonn : *And the Stars go with You, Tingri* (CD :3,5,6,7).

MUSIQUE POUR LA DÉTENTE (D)

La musique de détente est une musique douce. Elle permet à l'auditeur de se libérer de ses tensions. Elle se différencie de la musique de relaxation en ce qu'elle peut contenir des mélodies accentuées et un rythme basé sur celui du corps. En d'autres termes, le rythme n'est pas étranger à celui du corps. Elle aide l'auditeur à atteindre un laisser-aller, un lâcher-prise. Dans cette section, on pourra inclure les titres qui sont proposés en relaxation.

Ackerman, William : *Conferring with the Moon.*
Aeoliah : *Crystal Illumination.*
Ball, Patrick : *Celtic Harp vol.1 : The Music of Turlough O'Carolan.*
Berglund, Erik : *Angelic Harp Music, Harp of the Healing Waters.*
Bernhardt, Patrick : *Atlantis Angelis.*
Blanchet, Daniel : *Le Chemin de l'Ermite, L'Harmonie des Mondes.*
Boswell, John : *The Painter.*
Braheny, Kevin : *Galaxies.*
Burmer, Richard : *Bhakti Point, On the Third Extreme.*
Ciani, Suzanne : *The Velocity of Love, Pianissimo.*
Coxon, Robert Haig : *The Inner Voyage (Cristal Silence III).*
Crutcher, Rusty : *Machu Picchu Impressions, Chaco Canyon.*
Danna, Michael et Clément, Tim : *Another Sun.*
De Koninck, Jacques : *Musique des Étoiles vol.1.*
Demby, Constance : *Set Free.*

Deuter : *Cicada, Call of the Unknown, Land of Enchantment.*
Duguay, Raôul et Robidoux, Michel : *Nova.*
Enya : *Watermark.*
Farhoud, Alex : *Nosso Nosso, $(A + M)^2$.*
Gabriel, Peter : *Passion.*
Gandalf : *The Universal Play, From Source to Sea.*
G.E.N.E. : *Life is a Melody.*
Grey, Sylvan : *Ice Flowers Melting, Recurring Dream.*
Hartman, Dan : *New Green / Clear Blue.*
Horrocks, John et Harrington, William : *Melodies on Canvas.*
Jon & Vangelis : *Private Collection.*
Kiraly, François et Crevier, Charles : *Calypso.*
Kitaro : *Oasis, Silk Road 1 et 2, Tunhuang, Millennia, Ten Years.*
Labrèche, Jean-Pierre : *Yi-King I, Yi-King III.*
Lescaut, Pierre : *Hélianthe.*
Mendieta, Peter et Harris, Allyn : *Pools of Light.*
Michaud, Martine : *Kâ.*
O'Hearn, Patrick : *Ancient Dreams.*
Parsons, David : *Yatra.*
Raphael : *Music to Disappear In.*
Rich, Robert : *Rainforest.*
Rich, Robert et Roach, Steve : *Strata.*
Roach, Steve/Braheny, Kevin/Stearns, Michael : *Desert Solitaire.*
Robertson, Kim : *Wind Shadows vol.2.*
Serrie, Jonn : *And the Stars Go with You, Flightpath, Tingri.*
Stearns, Michael : *Encounter.*
Stivell, Alan : *Harpes du Nouvel Âge.*

Vangelis : *L'Apocalypse des Animaux, China, Opéra Sauvage, Chariots of Fire, Antartica, Soil Festivities, Themes.*

Vollenweider, Andreas : *Caverna Magica, Down to the Moon.*

MUSIQUE ÉNERGISANTE (E)

La notion de dynamisme en MNA est souvent mal perçue et surtout mal rendue par certains musiciens qui ont la fâcheuse habitude de nous présenter une musique qui n'a de différence avec le rock, que l'absence de voix. Voici donc des musiques rythmées de choix. Certains ont cependant bien intégré le rythme en utilisant la percussion de façon plus subtile.

Chin, Colin : *Intruding on a Silence.*
Gabriel, Peter : *Passion.*
Gandalf : *The Universal Play, From Source to Sea.*
Linch, Ray : *Deep Breakfast, No Blue Thing.*
O'Hearn, Patrick : *Between Two Worlds, Eldorado.*
Schmœlling, Johannes : *Wuivend Riet.*
Vangelis : *Direct.*
Vollenweider, Andreas : *Caverna Magica, Down to the Moon.*

MUSIQUE POUR LA MÉDITATION (M)

Il est reconnu que le silence constitue la meilleure condition pour la méditation. Cependant, plusieurs ont encore besoin du support de la musique. Elle sera alors comme une vague dans laquelle on se laisse emporter. L'auditeur doit avoir l'impression de se fondre dans la musique ; il ne l'entend plus avec ses oreilles, mais avec son corps, ses autres sens. La musique doit alors devenir une expérience particulière à chaque occasion. La mélodie, reliée aux émotions, doit faire place à ce qu'on pourrait appeler un courant sonore.

Pour les besoins du livre et, aussi, considérant deux types d'approches méditatives, nous avons divisé cette section en deux parties. La première (M I) propose des musiques à caractère très méditatif, sans aucune mélodie en évidence. Pour les néophytes, nous suggérons une série de musique (M II) dont la mélodie est présente sans être accentuée ou dérangeante.

Le but de la méditation est de faire le vide. Toutes les musiques dont la mélodie pourrait faire resurgir des émotions, par conséquent, distraire le méditant, ne sont pas conseillées.

M I :

Berthiaume, Daniel : *La Voie Intérieure.*
Braheny, Kevin : *The Way Home.*
Hykes, David et the Harmonic Choir : *Harmonic Meetings.*

Kiraly,François/Crevier, Charles/
Crevier, Jean-François : *Music from the Sky.*
Parsons, David : *Yatra* (CD1-5, CD2-2,3,4).
Roach, Steve : *Structures from Silence, Quiet Music 1,2,3.*
Roach, Steve et Braheny, Kevin : *Western Spaces* (CD 2,3,4,6,7).
Stearns, Michael : *Encounter*, (CD 1,2,4,6,8,10).

M II :

Aeoliah : *Crystal Illumination, Love in the Wind.*
Bernhardt, Patrick : *Atlantis Angelis.*
Berthiaume, Daniel : *L'Arbre de Vie.*
Coxon, Robert Haig : *Cristal Silence I.*
Coyote Oldman : *Thunder Chord.*
Crutcher, Rusty : *Machu Picchu Impressions.*
Danna, Michael et Clément, Tim : *Summerland.*
Demby, Constance : *Novus Magnificat.*
Ernst, Herb : *Dreamflight I, II, III.*
Kaur, Singh et Robertson, Kim : *Guru Ram Das, Ardas, Mender of Hearts.*
Mark, Jon : *The Standing Stones of Callanish.*
Roach, Steve : *Dreamtime Return* (CD1-6,7,8,9, CD2-1,2,5).
Roach, Steve et Braheny, Kevin : *Western Spaces.*

MUSIQUE POUR LE MASSAGE

La personne qui reçoit un massage doit être attentive à ce qui se passe en elle. Il faut éviter d'utiliser les œuvres où les mélodies sont en évidence car elles ont pour effet de faire resurgir des émotions, et, par conséquent, de projeter l'esprit ailleurs. Les pièces doivent être de longue durée et sans mélodies afin de faire perdre la notion de temps à la personne qui reçoit un massage et ainsi la plonger dans le moment présent, centrée sur l'action du massage.

Nous vous suggérons ces quelques titres suivants. Vous serez ainsi en mesure de choisir les musiques qui vous conviennent dans les autres catégories et ainsi créer votre propre liste.

Berglund, Erik : *Angelic Harp Music.*
Berthiaume, Daniel : *La Voie Intérieure, L'Arbre de Vie.*
Braheny, Kevin : *The Way Home* (face A).
Coxon, Robert Haig : *Cristal Silence I.*
Coyote Oldman : *Thunder Chord.*
Danna, Michael et Clément, Tim : *Summerland.*
Ernst, Herb : *Dreamflight I, II, III.*
Kaur, Singh et Robertson, Kim : *Guru Ram Das, Ardas, Mender of Hearts.*
Kiraly, François/Crevier, Charles/
Crevier, Jean-François : *Music from the Sky.*
Mark, Jon : *The Standing Stones of Callanish.*
Roach, Steve : *Structures from Silence, Quiet Music 1,2,3.*
Serrie, Jonn : *And the Stars Go with You.*

MUSIQUE EN ROULANT

Nous avons conçu, pour ceux qui vont travailler, une sélection de MNA à écouter en auto. Le matin, elle sera dynamique, énergisante mais sans trop vous bousculer. Pour les fins d'après-midi, elle sera apaisante et juste assez relaxante, sans pour autant vous endormir.

Nous vous suggérons aussi quelques titres pour la conduite agréable de jour et en soirée. Libre à vous de sélectionner d'autres titres dans les différentes catégories de ce livre.

LE MATIN

Berglund, Erik : *Angelic Harp Music.*
Blanchet, Daniel : *L'Harmonie des Mondes.*
Coxon, Robert Haig : *The Inner Voyage (Cristal Silence III).*
Demby, Constance : *Set Free.*
Deuter : *Land of Enchantment.*
Kitaro : *Tunhuang.*
Lynch, Ray : *Deep Breakfast, No Blue Thing.*
O'Hearn, Patrick : *Eldorado.*
Robertson, Kim : *Wind Shadows 2.*
Serrie, Jonn : *Tingri.*
Vangelis : *Antartica.*
Vollenweider, Andreas : *Caverna Magica, Down to the Moon.*

* * *

LE JOUR

Blanchet, Daniel : *L'Harmonie des Mondes.*
Burmer, Richard : *On the Third Extreme.*

Chin, Colin : *Intruding on a Silence.*
Ciani, Suzanne : *The Velocity of Love.*
Coxon, Robert Haig : *The Inner Voyage (Cristal Silence III).*
Demby, Constance : *Set Free.*
Farhoud, Alex : $(A + M)^2$.
G.E.N.E. : *Life is a Melody.*
Horrocks, John et Harrington, William : *Melodies on Canvas.*
Schmœlling, Johannes : *Wuivend Riet.*
Vangelis : *Direct, Themes.*

* * *

LE RETOUR À LA MAISON

Boswell, John : *The Painter.*
Burmer, Richard : *Bhakti Point.*
Chin, Colin : *Intruding on a Silence.*
Ciani, Suzanne : *The Velocity of Love.*
Douglas, Bill : *Jewel Lake.*
Enya : *Watermark.*
Mark, Jon : *The Standing Stones of Callanish.*
O'Hearn, Patrick : *Between Two Worlds.*
Raphael : *Music to Disappear In.*
Roach, Steve : *Quiet Music 1.*
Roach, Steve et Braheny, Kevin : *Western Spaces.*
Serrie, Jonn : *And the Stars go with You, Flightpath.*
Vangelis : *Opéra Sauvage.*
Vollenweider, Andreas : *Caverna Magica, Down to the Moon.*

* * *

EN SOIRÉE

Aeoliah : *Love in the Wind.*
Berglund, Erik : *Harp of the Healing Waters.*
Blanchet, Daniel : *Le Chemin de l'Ermite.*
Braheny, Kevin : *The Way Home.* (Face A)
Coxon, Robert Haig : *The Inner Voyage (Cristal Silence III).*
Duguay, Raôul et Robidoux, Michel : *Nova.* (Face A)
Ernst, Herb : *Dreamflight III.*
Jon et Vangelis : *Private Collection.*
Kaur, Singh et Robertson, Kim : *Guru Ram Das, Ardas.*
Kiraly, François et Crevier, Charles : *Calypso.*
Kitaro : *Millennia.*
Labrèche, Jean-Pierre : *Yi-King III.*
Mark, Jon : *The Standing Stones of Callanish.*
Raphael : *Music to Disappear In.*
Roach, Steve : *Dreamtime Return.*
Roach, Steve et Braheny, Kevin : *Western Spaces.*
Serrie, Jonn : *And the Stars Go with You.*
Vangelis : *Opéra Sauvage, Chariots of Fire, Themes.*

INDEX MUSICIENS-ALBUMS

La Voie Intérieure.
(R/M) (55 :05) Derek DPB 112 1990 K7

BLANCHET, DANIEL :
Le Chemin de l'Ermite.
(D) (40 :43) Rubicon GB 2302 1987 CD/K7
L'Harmonie des Mondes.
(D) (56 :42) Rubicon GB 2301 1991 CD/K7

BOSWELL, JOHN :
The Painter.
(D) (50 :30) Scarlet Records SR-25701
1988 CD/K7

BRAHENY, KEVIN :
The Way Home.
(R/M) (50 :47) Hearts of Space HS 11001
1987 CD/K7
Galaxies.
(D) (57 :07) Hearts of Space HS 11004
1988 CD/K7

BURMER, RICHARD :
Bhakti Point.
(D) (45 :42) Fortuna 17047 1987 CD/K7
On the Third Extreme.
(D) (44 :12) American Gramaphon AG 691
1990 CD/K7

CIANI, SUZANNE :
The Velocity of Love.
(D) (36 :46) RCA 1-7125 1985 CD/K7
Pianissimo.
(D) (52 :04) Private Music 20731990 CD/K7

CHIN, COLIN :
Intruding on a Silence.
(E) (46 :15) Narada Mystique ND2006
1990 CD/K7

COXON, ROBERT HAIG :
Cristal Silence I.
(R/M) (47 :14) RHC.Prod.CS4-220 1986 K7
The Inner Voyage (Cristal Silence III).
(D) (44 :00) RHC.Prod.CS4-440 1989 CD/K7

COYOTE OLDMAN :
Thunder Chord.
(R/M) (42 :30) Coyote Oldman Music CO-4
1990 CD/K7

CRUTCHER, RUSTY :
Machu Picchu Impressions.
(D/M) (44 :53) Emerald Green ED 8401
1989 CD/K7
Chaco Canyon.
(D) (43 :27) Emerald Green ED 8404
1990 CD/K7

DANNA, MICHAEL et CLEMENT, TIM :
Summerland.
(R/M) (51 :04) Chacra SL 0011 1986 K7
Another Sun.
(D) (51 :56) Chacra SL 0012 1986 CD/K7

DE KONINCK, JACQUES :
Musique des Étoiles vol. 1.
(D) (54 :29) Chacra CHA 026 1990 K7

DEMBY, CONSTANCE :
Novus Magnificat.
(R/M) (53 :40) Hearts of Space HS 11003
1986 CD/K7
Set Free.
(D) (66 :51) Hearts of Space HS 11016
1989 CD/K7

DEUTER :
Cicada.
(D) (46 :12) Kuckuck 056 1982 CD/K7
Call of the Unknown.
(D) (73 :10) Kuckuck 076/77 1986 CD/K7
Land of Enchantment.
(D) (55 :10) Kuckuck 081 1988 CD/K7

DOUGLAS, BILL :
Jewel Lake.
(D) (49 :18) Hearts of Space HS 11006
1988 CD/K7

DUGUAY, RAÔUL et ROBIDOUX, MICHEL :
Nova.
(D) (54 :26) Disques 33 MR-111
1989 CD/K7

ENYA :
Watermark.
(D) (40 :05) WEA 43875 1988 CD/K7

ERNST, HERB :
Dreamflight I.
(R/M) (45 :34) Mystic Vision MV 11
1986 CD/K7

Dreamflight II.
(R/M) (50 :17) Mystic Vision MV 12 1987 K7
Dreamflight III.
(R/M) (56 :05) Mystic Vision MV 13 1990 K7

FARHOUD, ALEX :
Nosso Nosso.
(D) (38 :04) Chacra AF 8501 1985 K7
(A+M)².
(D) (48 :44) Audiogram AD-10026
1988 CD/K7

GABRIEL, PETER :
Passion.
(D) (67 :01) Realworld/Geffen 24206
1989 CD/K7/LP

GANDALF :
The Universal Play.
(D) (50 :28) CBS 450372 1987 CD/K7
From Source to Sea.
(D) (56 :15) CBS 461026 1988 CD/K7

G.E.N.E. :
Life is a Melody.
(D) (CD :59 :34/K7 :45 :58) Chacra CHA 021
(K7) Racket Records RRK 715039 (CD)
1987 CD/K7

GREY, SYLVAN :
Ice Flowers Melting.
(D) (61 :18) Fortuna 17003 1981 CD/K7
Recurring Dream.
(D) (53 :00) Fortuna 17063 1989 CD/K7

HARRIS, ALLYN et MENDIETA, PETER :
Pools of Light.
(D) (40 :58) Crystal Creek CR8702 1987K7

HARTMAN, DAN :
New Green / Clear Blue.
(D) (56 :29) Private Music 2032 1989CD/K7

HORROCKS, JOHN et
HARRINGTON, WILLIAM :
Melodies on Canvas.
(D) (45 :05) Empress ER-2001 1988 K7

HYKES, DAVID et THE HARMONIC CHOIR :
Harmonic Meetings.
(R/M) (62 :26) Celestial Harmonies CEL 013/
14 1987 CD/K7

JON et VANGELIS :
Private Collection.
(D) (47 :40) Polydor 813 174 1983 CD/K7

KAUR, SINGH et ROBERTSON, KIM :
Crimson Vol 1 : Guru Ram Das.
(R/M) (77 :40) Invicible INV 301 1986 K7
Crimson Vol.5 : Mender Of Hearts.
(R/M) (66 :28) Invicible INV 305 1987 K7
Crimson Vol.6 : Ardas.
(R/M) (65 :20) Invicible INV 306 1987 K7

KIRALY, FRANÇOIS et CREVIER, CHARLES :
Calypso.
(D) (44 :22) CCFK 01 1989 CD/K7

KIRALY, FRANÇOIS/CREVIER CHARLES/ CREVIER, JEAN-FRANÇOIS :
Music from the Sky.
(R/M) (44 :05) Sky Music Prod.SMP-001
1987 K7

KITARO :
Oasis.
(D) (49 :07) Polydor 815 340 1979 CD/K7
Silk Road 1.
(D) (42 :32) Polydor PDS 1-6507 1980 CD/K7
Silk Road 2.
(D) (43 :05) Polydor PDS 1-6508 1980 CD/K7
Tunhuang.
(D) (42 :48) Polydor 811 696 1981 CD/K7
Queen Millenia (Millenia).
(D) (42 :32) Geffen 24084 1982 CD/K7
Ten Years.
(D) (94 :30) Geffen 24207 1988 CD/K7

LABRECHE, JEAN-PIERRE :
Yi-King I.
(D) (44 :21) Chacra OR 0037 1983 CD/K7
Yi-King III.
(D) (44 :50) Odyssée Sonore SOP 1101
1989 K7

LESCAUT, PIERRE :
Hélianthe.
(D) (45 :21) Musilescau MLD-001 1989 K7

LINCH, RAY :
Deep Breakfast.
(E/D) (40 :23) Music West MW-102
1986 CD/K7
No Blue Thing.
(E/D) (39 :25) Music West MW-103
1989 CD/K7

MARK, JON :
The Standing Stones of Callanish.
(R/M) (61 :39) Kuckuck 11082 1988 CD/K7

MICHAUD, MARTINE :
Kâ.
(D) (37 :36) SAGA KAC 89001 1989 CD/K7

O'HEARN, PATRICK :
Ancient Dreams.
(D) (32 :41) Private Music 1201 1985 CD/K7
Between Two Worlds.
(E) (48 :14) Private Music 2017 1987 CD/K7
Eldorado.
(E) (45 :51) Private Music 2054 1989 CD/K7

PARSONS, DAVID :
Yatra.
(D/M) (CD :123 :43/K7 :88 :11) Fortuna 18072
1990 CD/K7

RAPHAEL :
Music to Disappear In.
(D) (53 :59) Hearts of Space HS 11005
1988 CD/K7

RICH, ROBERT :
Rainforest.
(D) (53 :11) Hearts of Space HS 11014
1989 CD/K7

RICH, ROBERT et ROACH, STEVE :
Strata.
(D) (59 :07)Hearts of Space HS 11019
1990 CD/K7

ROACH, STEVE :
Structures from Silence.
(R/M) (58 :50) Fortuna 17024 1984 CD/K7
Quiet Music 1.
(R/M) (61 :55) Fortuna 17043 1986 K7
Quiet Music 2.
(R/M) (60 :31/CD-71 :58) Fortuna 17044
1986 CD/K7
Quiet Music 3.
(R/M) (59 :30) Fortuna 17045 1986 K7
Dreamtime Return.
(R/M) (89 :38/CD-127.44) Fortuna 18055
1988 CD/K7

ROACH, STEVE et BRAHENY, KEVIN :
Western Spaces.
(R/M) (68 :51) Fortuna 17051 1990 CD/K7

ROACH, STEVE/BRAHENY,
KEVIN/STEARNS, MICHAEL :
Desert Solitaire.
(D/M) (65 :12) Fortuna 17070 1989 CD/K7

ROBERTSON, KIM :
Wind Shadows 2.
(D) (41 :50) Invicible INV 079 1987 CD/K7

SCHMOELLING, JOHANNES :
Wuivend Riet.
(E) (38 :48) Erdenklang IRS 971.160
1987 CD/K7

SERRIE, JONN :
And the Stars go with you.
(R) (40 :41) Miramar MP 2001 1987 CD/K7
Filghtpath.
(D) (47 :05) Miramar MP 2002 1989 CD/K7
Tingri.
(D) (45 :07) Miramar MP 2003 1990 CD/K7

STEARNS, MICHAEL :
Encounter.
(D/M) (52 :42) Hearts of Space 11008
1988 CD/K7

STIVELL, ALAN :
Harpes du Nouvel Âge.
(D) (35 :29) Rounder 3094 1986 CD/K7

VANGELIS :
L'Apocalypse des Animaux.
(D) (35 :29) Polydor 831 503 1973 CD/K7
China.
(D) (41 :36) Polydor 813 653 1979 CD/K7
Opéra Sauvage.
(D) (43 :07) Polydor 829 663 1979 CD/K7

Chariots of Fire.
(D) (42 :10) Polydor 800 020 1981 CD/K7
Antartica.
(D) (45 :35) Polydor 815 732 1983 CD/K7
Soil Festivities.
(D) (48 :23) Polydor 823 396 1984 CD/K7
Direct.
(E) (63 :24) Arista AR 8545 1988 CD/K7
Themes.
(D) (58 :37/CD-64 :00) Deutsche
Gramophon 839518 1989 CD/K7

VOLLENWEIDER, ANDREAS :
Caverna Magica.
(E/D) (33 :24) CBS MK 37827
1983 CD/K7
Down to the Moon.
(E/D) (36 :21) CBS MK 42255
1986 CD/K7

INDEX ALBUMS/MUSICIENS

Cristal Silence I, Robert Haig Coxon.
Cristal Silence III (The Inner Voyage), Robert Haig Coxon.
Crystal Illumination, Aeoliah.

Deep Breakfast, Ray Linch.
Desert Solitaire, Steve Roach/Kevin Braheny/Michael Stearns.
Direct, Vangelis.
Down to the Moon, Andreas Vollenweider.
Dreamflight I, Herb Ernst.
Dreamflight II, Herb Ernst.
Dreamflight III, Herb Ernst.
Dreamtime Return, Steve Roach.

Eldorado, Patrick O'Hearn.
Encounter, Michael Stearns.

Flightpath, Jonn Serrie.
From Source to Sea, Gandalf.

Galaxies, Kevin Braheny,
Guru Ram Das (Crimson vol.1), Singh Kaur et Kim Robertson.

Harmonic Meetings, David Hykes et The Harmonic Choir.
Harmonie des Mondes (L'), Daniel Blanchet.
Harp of the Healing Waters, Erik Berglund.
Harpes du Nouvel Âge, Alan Stivell.
Hélianthe, Pierre Lescaut.

Ice Flowers Melting, Sylvan Grey.
Inner Voyage (The) (Cristal Silence III), Robert Haig Coxon.

Intruding on a Silence, Colin Chin.

Jewel Lake, Bill Douglas.

Kâ, Martine Michaud.

Land of Enchantment, Deuter.
Life is a Melody, G.E.N.E..
Love in the Wind, Aeoliah.

Machu Picchu Impressions, Rusty Crutcher.
Mender of Hearts (Crimson vol.5), Singh Kaur et Kim Robertson.
Melodies on Canvas, John Horrocks et William Harrington.
Millennia (Queen Millennia), Kitaro.
Music from the Sky, François Kiraly/Charles Crevier/Jean-François Crevier.
Music to Disappear In, Raphael.
Musique des Étoiles, Jacques De Koninck.

New Green / Clear Blue, Dan Hatrman.
No Blue Thing, Ray Linch.
Nosso Nosso, Alex Farhoud.
Nova, Raôul Duguay et Michel Robidoux.
Novus Magnificat, Constance Demby.

Oasis, Kitaro.
On The Third Extreme, Richard Burmer.
Opéra Sauvage, Vangelis.

Painter (The), John Boswell.
Passion, Peter Gabriel.
Pianissimo, Suzanne Ciani.

Pools of Lights, Allyn Harris et Peter Mendieta.
Private Collection, Jon et Vangelis.

Queen Millennia (Millennia), Kitaro.
Quiet Music 1, Steve Roach.
Quiet Music 2, Steve Roach.
Quiet Music 3, Steve Roach.

Rainforest, Robert Rich.
Recurring Dream, Sylvan Grey.

Set Free, Constance Demby.
Silk Road 1, Kitaro.
Silk Road 2, Kitaro.
Soil Festivities, Vangelis.
Standing Stones of Callanish (The), Jon Mark.
Strata, Robert Rich et Steve Roach.
Structures from Silence, Steve Roach.
Summerland, Michael Danna et Tim Clément.

Ten Years, Kitaro.
Themes, Vangelis.
Thunder Chord, Coyote Oldman.
Tingri, Jonn Serrie.
Tunhuang, Kitaro.

Universal Play (The), Gandalf.

Voie Intérieure (La), Daniel Berthiaume.
Velocity of Love (The), Suzanne Ciani.

Watermark, Enya.
Way Home (The), Kevin Braheny.
Western Spaces, Steve Roach et Kevin Braheny.

Wind Shadows 2, Kim Robertson.
Wuivend Riet, Johannes Schmoelling.

Yatra, David Parsons.
Yi-King I, Jean-Pierre Labrèche.
Yi-King III, Jean-Pierre Labrèche.

MES CHOIX DE L'ÎLE DÉSERTE

Burmer, Richard :	*Bhakti Point*
Demby, Constance :	*Novus Magnificat*
Enya :	*Watermark*
Kitaro :	*Tunhuang*
Mark, Jon :	*The Standing Stones of Callanish*
O'Hearn, Patrick :	*Eldorado*
Roach, Steve :	*Structures from Silence*
Serrie, Jonn :	*Tingri*
Vangelis :	*Antartica*
Vollenweider, Andreas :	*Down to the Moon*

DISCOGRAPHIE DE BASE SUGGÉRÉE

Pour le débutant :

Erik Berglund :	*Angelic Harp Music*
Daniel Blanchet :	*L'Harmonie des Mondes*
Suzanne Ciani :	*The Velocity of Love*
Robert Haig Coxon :	*The Inner Voyage (Cristal Silence III)*
Rusty Crutcher :	*Machu Picchu Impressions*
Kitaro :	*Tunhuang*
Jean-Pierre Labrèche :	*Yi-King III*
Pierre Lescaut :	*Héliante*
Vangelis :	*Antartica*
Andreas Vollenweider :	*Down to the Moon*

Pour l'amateur :

Daniel Berthiaume :	*L'Arbre de Vie*
Richard Burmer :	*Bhakti Point*
Coyote Oldman :	*Thunder Chord*
Michael Danna et Tim Clément :	*Summerland*
Constance Demby :	*Novus Magnificat*
Raôul Duguay et Michel Robidoux :	*Nova*
Alex Farhoud :	*$(A + M)^2$*
Singh Kaur et Kim Robertson :	*Ardas*

Jon Mark :	*The Standing Stones of Callanish*
Steve Roach :	*Structures from Silence*

Pour l'initié :

Aeoliah :	*Crystal Illumination*
Peter Gabriel :	*Passion*
David Hykes et The Harmonic Choir :	*Harmonic Meetings*
Kiraly/Crevier/Crevier :	*Music from the Sky*
David Parsons :	*Yatra*
Robert Rich :	*Rainforest*
Steve Roach :	*Dreamtime Return*
Jonn Serrie :	*And the Stars go with You*
Michael Stearns :	*Encounter*
Vangelis :	*Soil Festivities*

DISQUES REÇUS

DISQUES COMPACTS :

Ball, Patrick : *The Christmas Rose,* (Fortuna), USA.
Bernhardt, Patrick : *Solaris Universalis,* (Imagine), Québec.
Berry, Jay Scott : *Symphony of Light,* (CSI), USA.
Bloss, Rainer Bloss et Schulze, Klaus : *Drive Inn — vol.I,* (IC), USA.
Bloss, Rainer : *Drive Inn — vol.II,* (IC), USA.
Clark, Tim : *Tales of the Sun People,* (Hearts of Space), USA.
Clément, Tim : *Waterstation,* (Chacra), Québec.
Coxon, Robert Haig Jr : *Cristal New Age,* (Intermede), Québec.
D'Haeyere, Emmanuel et Vachaudez, Guy : *Escales,* (Âge Musique), Belgique.
Douglas, Bill : *Cantilena,* (Hearts of Space), USA.
Tucci, Dudu : *Odudua,* (Erdenklang), Allemagne.
Duggan, Dan : *Christmas Morn,* (Fortuna), USA.
Fisher, Frank : *Gone with the Wind,* (IC), USA.
Folmer, Max : *Sunflower,* (Oreade), Hollande.
Friedemann : *Aqua Marine,* (Narada), USA.
Gandalf : *Journey to an Imaginery Land,* (WEA), Autriche.
Gandalf : *Visions,* (WEA), Autriche.
Gandalf : *To Another Horizon,* (WEA), Autriche.
Gandalf : *Magic Theatre,* (WEA), Autriche.

Gandalf : *Tale from a Long Forgotten Kingdom,* (WEA), Autriche.
Gandalf : *Invisible Power, A Symphonic Prayer,* (CBS), Autriche.
Gandalf: *Symphonic Landscapes,* (CBS), Autriche.
Gratz, Wayne : *Panorama,* (Narada Lotus), USA.
Gromer Khan, Al : *Mahogany Nights,* (Hearts of Space), USA.
Gyuto Monks (The) : *Freedom Chants from the Roof of the World,* (Ryko), USA.
Hamelin, Clode : *Archangelus Gabriel,* (Amplitude), Québec.
Horn, Paul : *Inside the Taj Mahal II,* (Kuckuck), USA.
Horn, Paul : *In India & Kashmir,* (Black Sun), USA.
Huygen, Michel : *Intimo,* (Thunder Bolt), UK.
Inkuyo : *Land of the Incas,* (Fortuna), USA.
Isham, Mark : *Tibet,* (Windham Hill), Canada.
Jacobson, Jim : *The Messenger,* (Narada Mystique), USA.
Jones, Michael : *Michael's Music,* (Narada Artist Series), USA.
Kelly, Georgia et Bogdanovic, Dusan : *A Journey's Home,* (Global Pacific), USA.
Kelly, Georgia et Kindler, Steven : *Fresh Impressions,* (Global Pacific), USA.
Kerr, John et Boots, Ron : *Offshore Islands,* (New World Artists Music), Hollande.
Kottke, Leo : *That's What,* (Private Music), USA.
Labrèche, Jean-Pierre : *Yi-King II,* (Oreade/Chacra), Québec.
Lanz, David : *Skyline Firedance,* (Narada Artist series), USA.

Liebert, Ottmar: *Nouveau Flamenco,* (Higher Octave Music), USA.

Lightwave: *Natchmusik,* (Erdenklang), Allemagne.

Locat, Serge: *Omni Science,* (Avant-Garde), Québec.

Manzanera, Phil et Dias, Sergio: *Mato Grosso,* (Black Sun), USA.

Mark-Almond: *The Best of Mark-Almond,* (Black Sun), USA.

Maunu, Peter: *Warm Sound in a Grey Field,* (Narada Mystique), USA.

Megabyte: *Go for It,* (IC), USA.

Mind Over Matter: *Trance'n'Dance,* (IC), USA.

Monks of the Dip Tse Chok Ling Monastery, Dharamsala: *Sacred Ceremonies / Ritual Music of Tibetan Buddhism,* (Fortuna), USA.

Nightingale: *Connection,* (Higher Octave Music), USA.

O'Hearn, Patrick: *Mix-Up.* (Private Music), USA.

Peyton, Craig: *Lifeline,* (Sonia Gaia), USA.

Roach, Steve/Hudson, David et Hopkins, Sarah: *Australia*: *Sound of the Earth,* (Fortuna), USA.

Robertson, Kim: *Angels in Disguise,* (Invicible), Canada.

Robertson, Kim et Kujula, Steve: *Wild Iris,* (Invicible/Chacra), Canada.

Rothe, Walter Christian: *Zebra,* (Kafka), Belgique.

Rubaja, Bernardo: *New Land,* (Narada Equinoxe), USA.

Schrœder-Sheker, Therese : *Rosa Mystica,* (Celestial Harmonies), USA.
Schulze, Klaus : *The Dresden Performance,* (Venture/Virgin), UK.
Seiler, Peter featuring Micheal Lorenz : *Passage,* (IC), USA.
Souther, Richard : *Twelve Tribes,* (Narada Equinoxe), USA.
Summer, Andy : *Charming Snakes,* (Private Music), USA.
Synthesizer Music from Poland : *Looking East-Electronic East,* (Erdenklang), Allemagne.
Tangerine Dream : *Melrose,* (Private Music).
Tico, Randy : *Earth Dance,* (Higher Octave Music), USA.
Torn, David : *Door X,* (Windham Hill), Canada.
Tri Atma : *Essential Tri Atma,* (Higher Octave Music), USA.
Turtle Island String Quartet : *Skylife,* (Windham Hill), Canada.
Tyndal, Nik : *Lagoon,* (Hearts of Space), USA.
Tyndall, Nik : *Plejaden Suite,* (Sky), Allemagne.
Vangelis : *The City,* (East/West-WEA), Canada.
Vox : *Hildegard von Bingen — «Diadema»,* (Erdenklang), Allemagne.
Wizard Projects : *Ten Minutes Warning,* (Wizard), Hollande.

Artistes variés : compilations

Universe, Sampler 90. (Hearts of Space) USA
(Braheny, Clark, McDonald, Douglas, Demby, Rich, Roach, Raphael, Tyndall, Shiho, Khan, Stearns)

Dali : The Endless Enigma. (Coriolis) USA
(Micheal Stearns, Michel Huygen, Klaus Schulze, Robert Rich, Steve Roach, Tomlyn, Walter Holland, Djam Karet, Loren Norell)

Narada : The Wilderness Collection. (Narada) USA
(Arkenstone, Rubaja, Illenberg, Brewer, Tingstad, Rumbel, Trapezoid, Buffet, Gratz, Cameron, Ellwood, Jones, Nethen, Souther, Jacobson, Lanz, Fraser)

Narada Equinox Artists : Narada Equinox Sampler II. (Narada) USA
(Mann, Cameron, Souther, Friedemann, Trapezoid, Brewer, Illenberg, Rubaja)

Visionnaries-Selected New Music vol.2. (Clear Prod) USA
(Iasos, Sky Douglas & John Mazzi, Brian Gingrich, Richard Schulman, Bill Gregg, Tony Wells.)

AVIS AUX LECTEURS ET AUX COMPAGNIES DE DISQUES

À tous les lecteurs, il me fera plaisir de recevoir vos commentaires, suggestions et demandes d'informations particulières.

À tous les musiciens, compagnies de disques et distributeurs de MNA : pour soumettre vos musiques à la chronique « Les Indispensables », faites-nous parvenir vos albums (CD en priorité) accompagnés d'une biographie du musicien et du communiqué de presse.

Au cœur de la musique Nouvel Âge
a/s Gilles Bédard
C.P.1370 succ.Desjardins
Montréal, Québec H5B 1H3
Fax : (514) 272-4743